JOYCE MEYER

TENHA SUCESSO SENDO VOCÊ MESMO

Como encontrar a confiança para cumprir o seu destino

Edição publicada mediante acordo com FaithWords, New York, New York. Todos os direitos reservados.

Diretor
Lester Bello

Autor
Joyce Meyer

Título Original
How to Succeed at Being Yourself

Tradução
Maria Lucia Godde Cortez / Idiomas & Cia

Revisão
Ana Lacerda, Luísa Calmom, Fernanda Silveira e Daniele Ferreira / Idiomas & Cia

Diagramação
Julio Fado

Design capa
Fernando Rezende

Impressão e Acabamento
Promove Artes Gráficas

BELLO
PUBLICAÇÕES

Rua Vera Lúcia Pereira, 122 Goiânia
Cep: 31.950-060 - Belo Horizonte
MG/Brasil - Tel.: (31) 3524-7700
contato@bellopublicacoes.com.br
www.bellopublicacoes.com.br

Copyright desta edição
© 1999 by Joyce Meyer
FaithWords Hachette Book Group
New York, NY

Publicado pela
Bello Comércio e Publicações Ltda-ME
com a devida autorização de
Hachette Book Group e todos
os direitos reservados.

Primeira edição — Abril de 2014
2ª Reimpressão — Abril de 2017

Todos os direitos reservados. Nenhuma parte desta publicação poderá ser reproduzida, distribuída ou transmitida sob qualquer forma ou meio, ou armazenada em base de dados ou sistema de recuperação, sem a autorização prévia por escrito da editora.

Exceto em caso de indicação em contrário, todas as citações bíblicas foram extraídas da Bíblia Sagrada *The Amplified Bible* (AMP) e traduzidas livremente em virtude da inexistência dessa versão em língua portuguesa. Quando a versão da AMP correspondia com o texto da Almeida Revista e Atualizada, esse foi o texto utilizado nos versículos fora dos colchetes. Outras versões utilizadas: NVI (Nova Versão Internacional, Editora Vida), ABV (A Bíblia Viva, Mundo Cristão), A Mensagem (Editora Vida) e KJV (King James Version, traduzida livremente da versão em inglês).

M612   Meyer, Joyce
       Tenha sucesso sendo você mesmo: como encontrar a confiança para cumprir o seu destino / Joyce Meyer; tradução de Maria Lucia Godde / Idiomas & Cia. - Belo Horizonte: Bello Publicações, 2017.
       240p.
       Título original: How to succeed at being yourself
       ISBN 978-85-8321-008-5:
       1. Sucesso. 2. Auto ajuda. I. Título.
       CDD: 158.1   CDU: 159.9

       Elaborada por: Maria Aparecida Costa Duarte CRB/6-1047

Sumário

Introdução		7
1	Autoaceitação	11
2	Sua Autoimagem Afeta Seu Futuro	23
3	"Eu Estou Bem, e Estou a Caminho!"	35
4	Você se Perdeu?	47
5	É Preciso Ter Confiança	61
6	Livre Para Desenvolver o Seu Potencial	69
7	Entenda a Diferença Entre "Ser" e "Fazer"	85
8	Recebendo Graça, Favor e Misericórdia	115
9	Crendo e Recebendo	135
10	Levantando-se Interiormente	145
11	A Condenação Destrói a Confiança	171
12	Confiança na Oração	197
Conclusão		231
Oração por um Relacionamento Pessoal com o Senhor		234
Notas		235
Referências		238
Sobre a Autora		239

INTRODUÇÃO

Que Cristo possa (realmente) habitar (se instalar, permanecer, fazer a Sua moradia permanente) no vosso coração através da vossa fé! Que possais estar profundamente arraigados em amor e edificados com segurança no amor.

EFÉSIOS 3:17

Este livro é sobre conhecer a si mesmo, aceitar a si mesmo e cumprir o destino que Deus ordenou para a sua vida.

Durante os meus anos ministrando a outras pessoas, descobri que a maioria realmente não gosta de si mesma. Isso é um problema muito grande, muito maior do que se imagina.

Se não convivermos bem com nós mesmos, não iremos conviver bem com as outras pessoas. Quando rejeitamos a nós mesmos, podemos ter a impressão de que os outros também nos rejeitam. Os relacionamentos constituem uma grande parte da nossa vida. A maneira como nos sentimos acerca de nós mesmos é um fator determinante para o nosso sucesso na vida e nos relacionamentos.

Quando estou perto de pessoas que são inseguras, isso tende a me fazer insegura acerca delas também. Certamente não é a vontade de Deus que os Seus filhos se sintam inseguros. A insegurança é obra do diabo.

Jesus veio para trazer restauração às nossas vidas.[1] E uma das coisas que Jesus veio para restaurar foi uma autoimagem saudável e equilibrada.

COMO VOCÊ SE VÊ?

A autoimagem é o retrato interior de nós mesmos que levamos conosco. Se o que vemos não é saudável e não está de acordo com o que a Bíblia diz, sofreremos com o medo, a insegurança e diversos tipos de conceitos errados a nosso próprio respeito. Observe que eu disse *"sofreremos"*.

Pessoas inseguras sofrem mental e emocionalmente, assim como em suas vidas sociais e espirituais. Sei que elas sofrem porque conversei com milhares delas. Também sei disso porque eu mesma sofri nessa área.

Ainda me lembro da agonia de estar com pessoas e achar que elas não gostavam de mim, ou de querer fazer coisas e não me sentir livre o suficiente para tomar uma atitude e tentar fazê-las. Estudar a Palavra de Deus e receber o Seu amor e a Sua aceitação incondicional trouxeram cura à minha vida. E farão o mesmo por você.

SALVAÇÃO DA DESTRUIÇÃO

Então Zaqueu se levantou e declarou solenemente ao Senhor: Senhor, resolvo dar aos pobres [agora] a metade dos meus bens [fazendo restituição]; e, se em alguma coisa tenho defraudado alguém, [agora] restituo quatro vezes mais.

Então, Jesus lhe disse: "Hoje, houve salvação [messiânica e espiritual para todos os membros] nesta casa, pois que também este é [um verdadeiro] filho [espiritual] de Abraão.

Porque o Filho do Homem veio buscar e salvar aquele que se havia perdido."

Lucas 19:8-10

Observe que o versículo 10 diz "aquele que" e não "aqueles que". No versículo anterior vemos que o principal coletor de impostos da cidade, Zaqueu, e sua família haviam acabado de receber a salvação. Eles estavam perdidos e agora estavam salvos, mas a salvação deles não iria terminar ali.

A declaração que se segue sobre Jesus ter vindo para salvar aquele que estava perdido me diz que Ele pretende nos salvar não apenas dos nossos pecados, mas também de tudo que Satanás tentou fazer para arruinar nossas vidas.

Cada um de nós tem um destino e deveria ser livre para cumpri-lo. Entretanto, esse destino não será cumprido enquanto formos inseguros e tivermos uma autoimagem negativa.

VOCÊ TEM A APROVAÇÃO DE DEUS!

Antes que Eu te formasse no ventre materno, Eu te conheci, e te aprovei [como Meu instrumento escolhido]...

Jeremias 1:5

Deus nunca pretendeu que nos sentíssemos mal acerca de nós mesmos. Ele quer que nos conheçamos bem e que, apesar disso, nos aceitemos.

Ninguém nos conhece tão bem quanto Deus. Mas embora nos conheça e saiba tudo sobre nós, inclusive todos os erros que cometemos, o Senhor ainda nos aprova e nos aceita. Ele não aprova o nosso comportamento errado, mas está comprometido conosco como indivíduos.

Nas páginas seguintes você terá a oportunidade de aprender a diferença ente o seu "ser" e o seu "fazer". Você descobrirá que Deus pode odiar o que você faz e, no entanto, amar você; Ele não tem problemas em manter as duas coisas separadas.

Deus é um Deus de corações. Ele vê o nosso coração, não apenas a casca externa (a carne) onde vivemos e que parece nos criar tantos problemas. Creio que se Deus sabe separar as coisas, Ele pode nos ensinar a fazer o mesmo.

Creio que a leitura deste livro será um momento decisivo em sua vida. Nele você aprenderá a encarar as suas fraquezas e não odiar a si mesmo por causa delas. Você experimentará a cura e a liberdade que lhe permitirão ter êxito em ser você mesmo.

1
AUTOACEITAÇÃO

Pois como ele imagina em seu coração, assim ele é...
PROVÉRBIOS 23:7

Você gosta de si mesmo? Como você deve saber, a maioria das pessoas não gosta de si mesma. Tive muitos anos de experiência tentando ajudar as pessoas a serem curadas nas áreas emocional, mental, espiritual e social. Senti que foi uma grande reviravolta quando simplesmente descobri que a maioria das pessoas realmente não gosta de si mesma. Algumas delas sabem disso, ao passo que outras não têm a menor ideia de que essa é a raiz de muitos outros problemas em sua vida.

Rejeitar e até mesmo odiar a si mesmo são a raiz de muitos problemas de relacionamento. Deus quer que tenhamos ótimos relacionamentos. Descobri que a Bíblia é um livro sobre relacionamentos. Nela, encontro ensinamentos sobre o meu relacionamento com Deus, com as outras pessoas e comigo mesma.

BUSQUE A PAZ NOS RELACIONAMENTOS

... [Não deseje meramente um relacionamento pacífico com Deus, com o seu próximo, e consigo mesmo, mas busque, procure isto!]

1 Pedro 3:11

A Palavra de Deus nos instrui a ter bons relacionamentos, mas ela também nos ensina a desenvolver e manter esses relacionamentos.

Achei esse versículo de 1 Pedro, na versão *Amplified Bible,* especialmente esclarecedor. À medida que eu a estudava, o Espírito Santo me revelou que primeiro eu preciso ter paz com Deus. Preciso crer que Ele me ama. Deus não espera até que eu seja aperfeiçoada para me amar — Ele me ama incondicional e completamente a todo o tempo. Em segundo lugar, preciso *receber* o Seu amor.

Receber é algo muito importante. Quando recebemos de Deus, na verdade, trazemos para dentro de nós o que Ele oferece. Quando recebemos o Seu amor, então temos amor em nós. E quando somos cheios com o amor de Deus, podemos começar a amar a nós mesmos. Também podemos começar a dar esse amor de volta para Deus e a oferecê-lo a outras pessoas.

Lembre-se sempre de que *não podemos dar o que não temos!*

O AMOR DE DEUS

... O amor de Deus é derramado em nosso coração pelo Espírito Santo, que nos foi outorgado.

Romanos 5:5

A Bíblia nos ensina que o amor de Deus foi derramado em nosso coração pelo Espírito Santo que nos foi dado. Isso significa simplesmente que quando o Senhor, na forma do Espírito Santo, vem habitar em nosso coração por causa da nossa fé em Seu Filho Jesus Cristo, Ele traz amor consigo, porque Deus é amor (ver 1 João 4:8).

Precisamos nos perguntar o que temos feito com o amor de Deus que nos foi dado gratuitamente. Nós o estamos rejeitando porque achamos que não temos valor suficiente para sermos amados? Acreditamos que Deus é como as outras pessoas, que nos rejeitaram e magoaram? Ou estamos recebendo o Seu amor pela fé, crendo que Ele é maior que os nossos fracassos e fraquezas?

Que tipo de relacionamento você tem com Deus, consigo mesmo e finalmente com o próximo?

Nunca me ocorreu que eu sequer tivesse um relacionamento comigo mesma. Isso era simplesmente algo em que jamais havia pensado, até que Deus começou a me ensinar nessas áreas. Agora entendo que passo mais tempo comigo do que com qualquer outra pessoa, portanto é vital que eu conviva bem comigo mesma.

Você nunca pode fugir de si mesmo.

Todos sabemos como é angustiante trabalhar dia após dia com alguém com quem não convivemos bem, mas pelo menos não temos de levar essa pessoa para casa no fim do dia. No entanto, estamos com nós mesmos o tempo todo, dia e noite. Não temos um minuto de folga, nem sequer um segundo, portanto, *é da máxima importância que tenhamos paz com nós mesmos.*

NÃO PODEMOS DAR O QUE NÃO TEMOS

"... De graça recebestes, de graça dai."

Mateus 10:8

Com a ajuda do Senhor, aprendi a receber o amor de Deus, a amar a mim mesma (de uma maneira equilibrada), a amar a Deus em troca e a amar as outras pessoas. Mas por causa do meu histórico pessoal, fazer isso não foi algo nem rápido nem fácil.

Acho que sempre tive dificuldades nos meus relacionamentos, e eu realmente não sabia o porquê. Não conseguia encontrar pessoas das quais eu gostasse, admirasse e que se sentissem da mesma forma em relação a mim. Mas, com a ajuda de Deus, finalmente entendi qual era o problema: eu estava tentando dar algo que não tinha.

Quando era nova na fé, ouvia sermões sobre a importância dos cristãos amarem-se uns aos outros. Eu tentava sinceramente andar em amor, mas falhava continuamente. Precisava de uma resposta de Deus para aquele problema específico. Eu havia ouvido "com meus ouvidos" que Deus me amava, mas não tinha realmente crido nisso em meu coração. Posso ter crido de uma maneira geral, mas não de uma maneira pessoal. Eu tinha o problema e também tinha a resposta, mas não estava fazendo a relação correta entre os dois.

Muitas vezes sabemos qual é o nosso problema, mas é como se não conseguíssemos encontrar a resposta certa para ele. Por outro lado, muitas vezes descobrimos uma resposta na Palavra de Deus, mas realmente não sabemos qual é o nosso problema. Deus quer nos revelar a natureza dos nossos verdadeiros problemas, e a resposta para eles está na Sua Palavra. Quando fazemos a conexão certa entre eles — quando conectamos o problema certo com a revelação certa — significa que o diabo está a caminho da saída, e a libertação está a caminho da porta de entrada da nossa vida.

Por exemplo, li na Bíblia que devemos andar em amor. Apesar de saber que eu tinha um problema com o amor, não sabia que o meu problema tinha raízes.

Costumamos tentar lidar com os frutos ruins em nossa vida e nunca chegamos à sua raiz. E se a raiz permanecer, o fruto continuará voltando. Não importa quantas vezes nós o cortemos, eventualmente ele voltará. Esse ciclo é muito frustrante! Tentamos fazer o melhor possível, no entanto parece que nunca encontramos uma solução permanente para os nossos tormentos pessoais.

Eu estava tentando desesperadamente demonstrar um comportamento amoroso, mas havia falhado em receber o amor de Deus e, por essa razão, não era capaz de dar amor. Eu não tinha nenhum amor para dar.

AME O PRÓXIMO COMO VOCÊ AMA A SI MESMO

> *Porque toda a Lei [com relação aos relacionamentos humanos] se cumpre em um só preceito: Amarás o teu próximo como [amas] a ti mesmo.*
>
> Gálatas 5:14

Enquanto eu estava buscando respostas para os meus problemas, o Espírito Santo abriu o meu entendimento para compreender Gálatas 5:14 de uma maneira que nunca havia visto ou ouvido antes. Eu estava tendo problemas conjugais. Meu marido e eu não estávamos nos dando bem — parecia que não conseguíamos concordar em nada e tínhamos conflitos quase que diariamente. Isso afetava nossos filhos negativamente. Toda aquela ansiedade e agitação estavam afetando a minha saúde. *Eu precisava ter algumas respostas!*

A RESPOSTA É O AMOR

No amor não existe medo; antes, o perfeito amor lança fora o medo...

1 João 4:18

Quando o Espírito Santo me revelou o entendimento desse versículo, perguntei a mim mesma: *Será que é possível?* Será que eu estava ouvindo Deus corretamente? Poderia ser tão simples quanto: "Jesus me ama, *isto eu sei*, pois a Bíblia assim me diz"? Eu tinha muitos medos em minha vida, e o versículo de 1 João 4:18 estava me dizendo que o perfeito amor lançaria fora o medo.

Eu havia tentado andar em "perfeito amor" e estava falhando diariamente. Eu pensava que o "perfeito amor" se referia a amar os outros com perfeição. Agora, começava a perceber que o perfeito amor era o amor de Deus por mim — Ele é o Único que pode amar de modo perfeito.

O amor de Deus é perfeito mesmo quando nós não somos!

AMADO PARA AMAR A OUTROS

Que Cristo possa através da sua fé [realmente] habitar (instalar-se, permanecer, fazer sua moradia permanente) nos seus corações! Que vocês possam estar profundamente enraizados no amor e fundamentados com segurança no amor.

Que vocês possam ter o poder e ser fortes para apreender e captar com todos os santos [o povo dedicado de Deus, a experiência desse amor] qual é a largura e o comprimento e a altura e a profundidade [dele].

Efésios 3:17-18

Quando meditei nesses versículos e em outros semelhantes a eles, senti-me como uma pessoa cega que estava vendo pela primeira vez. *O meu problema era a falta de amor!* Eu nunca havia sido verdadeiramente amada, portanto, nunca havia aprendido a amar a mim mesma da maneira adequada. Eu nem mesmo gostava de mim, quanto mais amar a mim mesma!

Se ninguém mais nos ama, não vemos por que deveríamos nos amar. Se os outros não nos amam, pensamos que não somos dignos de ser amados.

Deveríamos amar a nós mesmos — não de uma maneira egoísta e egocêntrica que gera um estilo de vida autocomplacente, mas de uma maneira equilibrada, inspirada por Deus, que simplesmente ateste o fato de que a Criação de Deus é algo essencialmente bom e certo. Podemos ser imperfeitos por causa dos anos e das experiências infelizes que tivemos, mas isso não significa que não temos valor e que não servimos para mais nada além de sermos jogados no lixo.

Precisamos ter em nós o tipo de amor que diz: "Se Deus pode me amar, eu posso me amar. Não amo tudo que faço, mas eu me aceito, porque Deus me aceita." Precisamos desenvolver o tipo de amor maduro que diz: "Sei que preciso mudar, e quero mudar. Na verdade, creio que Deus está me transformando diariamente, mas, enquanto isso, não vou rejeitar o que Deus aceita. Vou me aceitar como sou neste instante, sabendo que não vou ser assim para sempre."

A nossa fé nos dá esperança para o futuro. Assim como Ele fez com os israelitas, Deus nos ajudará a vencer os nossos inimigos ("os nossos bloqueios") pouco a pouco (ver Deuteronômio 7:22). Ele nos transformará de glória em glória à medida que continuarmos a conhecer a Sua Palavra (ver 2 Coríntios 3:18). Ele é o Autor e Consumador da nossa fé (ver Hebreus 12:2). Ele começou uma boa obra em nós, e Ele a completará e a levará ao seu cumprimento final (Filipenses 1:6).

Quando recebemos o amor de Deus e começamos a amar e a aceitar a nós mesmos, isso melhora muito o nosso relacionamento com Ele. Enquanto não aceitamos o amor de Deus, o ciclo está incompleto. Somente podemos amá-lo porque Ele nos amou primeiro (1 João 4:19).

Todos nós sabemos como é frustrante tentar dar um presente a alguém que se recusa continuamente a aceitá-lo. Amo surpreender as pessoas e dar a elas algo que elas queiram ou precisem. Certa vez, vivi a experiência de planejar uma surpresa, fazer compras, gastar meu dinheiro, preparar tudo e, no entanto, quando dei o meu presente, a pessoa era tão insegura que não sabia como simplesmente recebê-lo com gratidão.

A insegurança e os sentimentos de não merecimento nos impedem de ser capazes de receber da maneira adequada. Podemos ter a impressão de que precisamos conquistar ou merecer tudo o que recebemos. Podemos pensar: *Por que alguém iria simplesmente querer me dar alguma coisa?* Podemos ficar desconfiados: "Qual é a motivação dele? O que essa pessoa quer de mim? Qual é a intenção daquela pessoa?"

Há vezes em que tento dar alguma coisa a alguém e preciso gastar tanto tempo e energia convencendo essa pessoa de que realmente quero que ela tenha aquilo, que a situação se torna completamente constrangedora. Eu simplesmente quero que a pessoa receba o presente! Quero que ela demonstre a sua gratidão pelo meu presente recebendo-o com reconhecimento e gostando do que recebeu.

Se nós, seres humanos, nos sentimos assim, imagine como Deus deve se sentir quando tenta nos dar o Seu amor, a Sua graça e a Sua misericórdia, e nos recusamos a recebê-los por causa de um falso senso de humildade ou indignidade? Quando Deus estende a mão para nos amar, Ele está tentando iniciar um ciclo que abençoará não apenas a nós, mas também a muitos outros.

O plano de Deus é este: Ele quer que recebamos o Seu amor, que amemos a nós mesmos de uma maneira equilibrada, segundo o que foi ordenado por Deus, que o amemos generosamente em troca, e que finalmente amemos todas as pessoas que passam pela nossa vida.

Falhamos em seguir esse plano há anos. Não amamos os outros com o nosso amor, muito menos com o amor de Deus. Lembre-se de que não tínhamos nenhum amor para oferecer, até que Deus nos amou primeiro!

ACEITAÇÃO OU REJEIÇÃO?

E viu Deus tudo quanto fizera, e eis que era muito bom (conveniente, agradável) e Ele o aprovou completamente. E houve tarde e houve manhã, o sexto dia.

Gênesis 1:31

Rejeitar a nós mesmos não nos transforma, na verdade, isso multiplica os nossos problemas. A aceitação faz com que encaremos a realidade e depois comecemos a lidar com ela. Não podemos lidar com alguma coisa enquanto nos recusamos a aceitá-la ou negamos a sua realidade.

O dicionário *Webster's II New College Dictionary* define *aceitar* em parte como: "**1.** Receber (algo oferecido), especialmente voluntariamente. **2.** Admitir a um grupo ou lugar. **3. a.** Considerar como usual, próprio ou certo. **b.** Considerar como verdadeiro."[1]

Observe nessa definição que a aceitação envolve a vontade. Se eu aplicar essa definição à autoaceitação, vejo que posso escolher ou não escolher aceitar a mim mesma. Deus me oferece a oportunidade de aceitar a mim mesma como sou, mas tenho livre-arbítrio e posso me recusar a fazer isso se decidir assim. Também vejo nessa definição que quando alguma coisa é aceita, ela é vista como usual, adequada ou correta.

As pessoas que rejeitam a si mesmas fazem isso porque não conseguem se ver como corretas ou adequadas. Elas só veem as suas falhas e fraquezas, e não a sua beleza e força. Essa é uma atitude desequilibrada, uma atitude que provavelmente foi deflagrada pelas figuras de autoridade que no passado falavam principalmente sobre os pontos fracos e os equívocos dessas pessoas, e não sobre os seus pontos fortes e acertos.

A palavra *aceitação,* no mesmo dicionário, é definida em parte como "aprovação" e "concordância".[2] Se estamos tendo problemas em aceitar a nós mesmos como somos, sugiro que precisamos entrar em concordância com Deus, pois tudo o que Ele criou é bom — e isso inclui a nós.

Em Amós 3:3 lemos: *Andarão dois juntos se não marcarem um encontro e estiverem de acordo?* Para andar com Deus, precisamos estar de acordo com Deus. Ele diz que nos ama e nos aceita; portanto, se concordamos com Ele, não podemos mais odiar e rejeitar a nós mesmos.

Precisamos concordar com Deus quando Ele diz que quando nos criou, fez algo bom.

Mais uma vez, deixe-me enfatizar que entendo que nem tudo o que fazemos é bom, mas aqui estamos discutindo sobre nós mesmos, não sobre o nosso comportamento. Mais tarde, neste livro, discutiremos em detalhes como Deus vê o que fazemos, mas agora, neste capítulo inicial, estamos mais preocupados com quem somos aos olhos de Deus.

Você pode estar na mesma condição em que eu estava quando Deus começou a me revelar esses princípios. Você vê as coisas em si mesmo que precisam ser mudadas, e é muito difícil você pensar ou dizer: "Eu me aceito." Você sente que fazer isso seria aceitar tudo que está errado em você, mas não se trata disso.

Pessoalmente não acredito que possamos sequer dar início ao processo da mudança até que essa questão esteja resolvida em nossa vida individualmente.

MUDANÇA EXIGE CORREÇÃO

Porque o Senhor corrige e disciplina a todos a quem ama, e pune e até açoita a todo filho a quem recebe e aprecia e que é bem-vindo em Seu coração.

Hebreus 12:6

Essa verdade sobre a correção e a disciplina de Deus é confirmada pelo próprio Jesus em Apocalipse 3:19, quando diz: "Aqueles a quem amo [ternamente e com carinho], digo a eles as suas faltas e os convenço, reprovo e castigo [Eu os disciplino e instruo]. Portanto, seja entusiasmado, sério e ardente em zelo e arrependa-se [mudando a sua mente e a sua atitude]."

A mudança exige correção — as pessoas que não sabem que são amadas têm muita dificuldade em receber correção. A correção de nada adianta se não for recebida.

Lidando com meus filhos e com centenas de funcionários ao longo dos anos, descobri que a correção precisa ser feita em amor. Em outras palavras, para que a minha correção tenha resultado, as pessoas que estou corrigindo precisam saber que eu as amo e me importo com elas.

Posso gastar muito tempo corrigindo alguém, mas o meu tempo terá sido desperdiçado se essa pessoa não aceitar o que eu disser. Da mesma forma, para que Deus nos transforme, Ele precisa nos corrigir. Não receberemos a Sua correção adequadamente se não tivermos uma revelação do Seu amor por nós. Podemos ouvir a Sua correção e até concordar com ela, mas isso apenas fará com que nos sintamos irados ou condenados, a não ser que saibamos que a correção trará a mudança que é necessária à nossa vida.

ESTEJA CERTO DO AMOR DE DEUS POR VOCÊ

Porque eu não tenho dúvida (estou bem certo) de que nem a morte, nem a vida, nem os anjos, nem os principados, nem as coisas iminentes e ameaçadoras, nem as coisas que estão por vir, nem os poderes, nem a altura, nem a profundidade, nem qualquer outra coisa em toda a criação poderá separar-nos do amor de Deus, que está em Cristo Jesus, nosso Senhor.

Romanos 8:38-39

Não podemos confiar se não acreditamos que somos amados. Para crescer em Deus e ser transformados, precisamos confiar nele. Muitas vezes, Ele nos conduzirá por caminhos que não podemos entender, e durante esses momentos precisamos estar inabalavelmente firmados no Seu amor por nós.

O apóstolo Paulo estava convencido de que nada jamais seria capaz de nos separar do amor de Deus em Cristo Jesus. Precisamos ter essa mesma certeza absoluta do amor interminável de Deus por nós como indivíduos.

Aceite o amor de Deus por você e faça desse amor o fundamento para o seu amor e a sua autoaceitação. Receba o incentivo de Deus, sabendo que você está mudando e se tornando tudo o que Ele deseja que você seja. Depois, comece a gostar de si mesmo — na condição em que está — enquanto avança em direção à plena maturidade espiritual.

2
SUA AUTOIMAGEM AFETA SEU FUTURO

> Então (o aleijado) se inclinou e disse: "Quem é teu servo, para teres olhado para um cão morto tal como eu?"
>
> **2 SAMUEL 9:8**

Já definimos que a insegurança causada por uma autoimagem negativa afeta todos os nossos relacionamentos. Ela também afeta grandemente o nosso futuro.

Se você tem uma autoimagem negativa, isso já afetou o seu passado de maneira adversa, mas você pode ser curado e impedir que o passado se repita. Deixe o que ficou para trás, inclusive qualquer sentimento negativo a respeito de si mesmo, e avance em direção às coisas boas que Deus tem reservadas para você.

DEUS TEM PLANOS PARA CADA UM DE NÓS

Pois somos obra do próprio Deus (manufatura Dele), recriados em Cristo Jesus [nascidos de novo], para que possamos fazer as boas obras que Deus predestinou (planejou antecipadamente) para nós [tomando caminhos que Ele preparou de antemão], para que andássemos neles [vivendo a boa vida que Ele preordenou e preparou para que vivêssemos].

Efésios 2:10

Deus tem um bom plano para cada um de nós, mas nem todos nós desfrutamos dele. Muitas vezes vivemos muito abaixo do padrão que Deus pretendeu que experimentássemos.

Durante anos, não exerci os meus direitos e privilégios como filha de Deus por dois motivos. O primeiro foi o fato de nem sequer saber que tinha qualquer direito ou privilégio. Embora eu fosse cristã e acreditasse que iria para o céu quando morresse, não sabia que algo podia ser feito acerca do meu passado, do meu presente ou do meu futuro. O segundo motivo pelo qual eu vivia muito aquém da vida que Deus planejara para mim era simplesmente a maneira equivocada como eu me via e me sentia a meu respeito. Eu tinha uma autoimagem negativa, e isso afetava a minha vida diária, assim como minhas perspectivas para o futuro.

DEUS TEM PLANOS PARA VOCÊ!

Eu é que sei que pensamentos tenho a vosso respeito, diz o Senhor; pensamentos de paz e não de mal, para vos dar o fim que desejais.
Jeremias 29:11

Se você tem uma autoimagem negativa como eu tinha, recomendo que leia a história de Mefibosete no capítulo 9 de 2 Samuel. Ela afetou a minha vida intensamente, e creio que fará o mesmo por você. Ela o ajudará a ver não apenas por que você vive hoje muito aquém do que Deus planejou para você, mas também por que corre o risco de perder o que Ele tem em mente para você no futuro.

"EXISTE ALGUÉM A QUEM EU POSSA ABENÇOAR?"

Disse Davi: "Resta ainda, porventura, alguém da casa de Saul, para que use eu de bondade para com ele, por amor de Jônatas?"
2 Samuel 9:1

Mefibosete era neto do rei Saul e filho de Jônatas, amigo íntimo e aliançado com Davi. Jônatas e seu Pai Saul foram mortos em combate, e Davi assumiu o trono como rei.

Davi desejava abençoar alguém da família de Saul por amor a Jônatas. Ele procurou saber se havia alguém que restasse da família de Saul a quem ele pudesse demonstrar bondade. Um de seus servos relatou que Mefibosete estava vivo e morava em uma cidade chamada Lo-debar.

O nome *Lo-debar* significa "sem pastagens".[1] Em uma sociedade agrícola, um lugar sem pastagens era provavelmente um lugar de pobreza. Por que o neto de um rei estaria vivendo em um lugar assim? Por que ele não foi até o palácio para reivindicar os seus direitos e privilégios como herdeiro do rei Saul, sem mencionar os seus direitos e privilégios como filho de Jônatas, que tinha uma aliança com o atual rei? Ele certamente entendia o que uma aliança representava; todos entendiam isso naqueles dias. Ele sabia que a aliança entre seu pai Jônatas e o rei Davi se estendia a seus filhos e herdeiros.

Na antiga Israel, quando duas pessoas faziam uma aliança, tudo o que cada um delas possuía era colocado à disposição da outra. O fato de terem uma aliança também significava que eles ajudariam um ao outro, lutariam um pelo outro, fariam qualquer coisa necessária para suprir as necessidades um do outro. Mas Mefibosete, o herdeiro legal de Jônatas, parceiro de Davi por meio da aliança, estava vivendo na pobreza. Por quê? O motivo remonta aos últimos dias do reinado do rei Saul, avô de Mefibosete.

Quando chegou ao palácio a notícia de que Saul e Jônatas haviam sido mortos em combate, Mefibosete era apenas uma criança. Ouvindo as terríveis notícias, sua ama de leite fugiu do palácio com ele nos braços, temendo que Davi pudesse usar o menino para vingar-se da maneira como fora tratado pelo rei Saul. Durante a fuga, a babá deixou Mefibosete cair e, em consequência disso, ele ficou aleijado (2 Samuel 4:4).

Quando Davi mandou chamar Mefibosete, ele se prostrou diante do rei e demonstrou medo. Davi disse-lhe para não temer, porque ele pretendia usar de bondade para com o rapaz. A reação de Mefibosete é um exemplo importante do tipo de autoimagem que todos nós precisamos superar.

A IMAGEM DO CÃO MORTO

Vindo Mefibosete, filho de Jônatas, filho de Saul, a Davi, inclinou-se, prostrando-se com o rosto em terra. Disse-lhe Davi: "Mefibosete!" Ele disse: "Eis aqui teu servo!"

Então, lhe disse Davi: "Não temas, porque usarei de bondade para contigo, por amor de Jônatas, teu pai, e te restituirei todas as terras de Saul, teu pai [teu avô], e tu comerás pão sempre à minha mesa."

Então [o aleijado] se inclinou e disse: "Quem é teu servo, para teres olhado para um cão morto tal como eu?"

2 Samuel 9:6-8

Mefibosete tinha uma autoimagem negativa, ele se via como um "cão morto". Ele não tinha uma opinião muito boa acerca de si mesmo. Em vez de se ver como herdeiro por direito do legado de seu pai e de seu avô, ele se via como alguém que seria rejeitado. Se isso não fosse verdade, ele já teria ido ao palácio há muito tempo para reivindicar sua herança.

Uma autoimagem negativa faz com que venhamos a agir com medo em vez de fé. Olhamos para o que está errado conosco em vez de olharmos o que está certo em Jesus. Ele levou a nossa inadequação e nos deu em troca a Sua justiça (2 Coríntios 5:21). Precisamos andar de acordo com essa verdade.

Quando vi essa passagem, percebi que também me via como um "cão morto", e que isso me impedia de ser tudo o que eu poderia ser e de ter tudo o que eu poderia ter na vida. Comecei a mudar de atitude com relação a mim mesma. Isso levou tempo e foi necessária muita ajuda do Espírito Santo, mas decidi que não viveria aquém das bênçãos que Jesus tinha reservado para mim.

A Palavra de Deus diz que por causa da Sua aliança conosco, podemos ser a cabeça e não a cauda, e estar somente por cima e não por baixo (ver Deuteronômio 28:13). Estou certa de que, assim como eu, você já foi "cauda" por tempo suficiente. É hora de se posicionar e começar a receber a herança que é sua por direito.

Davi abençoou Mefibosete. Ele lhe deu servos e terras e supriu todas as suas necessidades. A história termina dizendo: "Então Mefibosete habitou em Jerusalém, porquanto comia sempre à mesa do rei [embora], fosse coxo de ambos os pés" (2 Samuel 9:13).

Simplesmente amo o final dessa história. Identifico a deficiência física de Mefibosete com as nossas próprias fraquezas. Também podemos ter comunhão e comer com o nosso Rei Jesus — embora tenhamos falhas e fraquezas. Ainda temos uma aliança com Deus, selada e ratificada pelo sangue de Jesus Cristo. A aliança de sangue era, e ainda é, um dos contratos de maior peso que podem ser feitos entre duas pessoas.

Oferecemos a Deus o que temos, e Ele nos dá o que Ele tem. Ele toma todos os nossos pecados, falhas, fraquezas e fracassos, e nos dá a Sua capacitação, justiça e força. Ele toma a nossa pobreza e nos dá em troca as Suas riquezas. Ele toma as nossas doenças e enfermidades e nos dá a Sua cura e saúde. Ele toma o nosso passado caótico e cheio de fracasso e em seu lugar nos dá a esperança de um futuro brilhante.

Em nós mesmos não somos nada, o nosso senso de justiça é como trapos de imundície ou vestes contaminadas (ver Isaías 64:6). Mas em Cristo temos um futuro digno de ser aguardado com expectativa. A expressão "em Cristo", resumida em poucas palavras, significa que colocamos a nossa fé nele com relação a cada aspecto da nossa vida. Estamos em uma aliança com o Deus Todo-Poderoso. Que pensamento maravilhoso!

VOCÊ É UM GAFANHOTO?

Também vimos os Nefilins [ou gigantes], os filhos de Anaque, que são descendentes de gigantes, e éramos, aos nossos próprios olhos, como gafanhotos e assim também o éramos aos seus olhos.

Números 13:33

Outra história que me afetou profundamente está em Números. Moisés enviou doze homens para sondar a Terra Prometida para ver se ela era boa ou má. Dez desses homens voltaram com o que a Bíblia menciona ser um "relatório negativo" (Números 13:32). Somente dois dos espias, Calebe e Josué, tiveram a atitude que Deus esperava deles.

Quando os doze espias voltaram de sua jornada, "relataram a Moisés e disseram: 'Fomos à terra a que nos enviaste; e, verdadeiramente, mana leite e mel...'" (Números 13:27). Então eles continuaram: "Mas o povo que habita ali é forte, e as cidades são fortificadas e muito grandes; além do mais, ali vimos os filhos de Anaque [de grande estatura e coragem]" (Números 13:28). Em outras palavras: "A terra é boa, mas há gigantes nela!" O medo que sentiam dos gigantes impediu o povo de Deus de entrar na terra que Ele havia prometido dar a eles. Eles só viram os gigantes, e não a Deus.

Não foram realmente os gigantes que derrotaram aquelas pessoas, foi a autoimagem negativa que tinham. Foi a atitude equivocada para consigo mesmas. Elas viam aos outros como gigantes e a si mesmas como gafanhotos.

Josué e Calebe foram os únicos que tiveram a atitude correta com relação à terra. Eles disseram a Moisés e ao povo: "Subamos de uma vez e possuamos a terra; somos bem capazes de conquistá-la" (Números 13:30). No fim, eles foram os únicos que tiveram permissão para entrar na Terra Prometida.

Deus tinha um futuro glorioso planejado para *todos* os israelitas, mas nem todos eles desfrutaram esse futuro — somente aqueles que tiveram a atitude correta para com Deus e para consigo mesmos.

"Subamos de uma vez e possuamos a terra; somos bem capazes de conquistá-la." Que declaração vitoriosa! Que atitude tremenda!

Esse acontecimento se passou há milhares de anos, mas ele ainda me inspira hoje. Podemos nos ver como um cão morto ou um gafanhoto, não importa, o fato é que qualquer visão equivocada afeta negativamente o nosso futuro. Vemos a prova disso nas histórias de Mefibosete e dos doze espias. Não importa o que Deus planejou para nós, jamais viveremos os Seus propósitos se não entrarmos em acordo com Ele.

Deus não tem uma atitude negativa para com você — e você não deve ter uma atitude negativa para consigo mesmo! Deixe o passado para trás e coloque seus olhos no futuro. O apóstolo Paulo queria fazer as coisas da maneira certa, no entanto, ele percebia que estava crescendo e aprendendo, e que nem sempre seria cem por cento perfeito.

PERSEVERE!

Não que eu tenha já atingido [este ideal], ou já tenha obtido a perfeição, mas prossigo para tomar posse (agarrar) e conquistar aquilo para o que Cristo Jesus (o Messias) tomou posse de mim e me conquistou.

Filipenses 3:12

No versículo seguinte, Paulo continua dizendo que se esquecia do que ficou para trás e se esforçava para ir em direção ao que estava à frente.

Vemos esse mesmo princípio em muitos lugares na santa Palavra de Deus. O profeta Isaías teve a mesma revelação quando proclamou a mensagem do Senhor: "Não vos lembreis [tenazmente] das coisas passadas; nem considereis as antigas. Eis que estou fazendo uma coisa nova!" (Isaías 43:18-19).

Creio que Deus o levou a ler este livro porque Ele quer fazer algo novo em você e em sua vida.

Quase todos nós precisamos melhorar um pouco a nossa autoimagem. Leva tempo para que as expectativas que temos a nosso próprio respeito correspondam às expectativas de Deus.

Para entender o quão grande são as expectativas de Deus ao meu respeito, tudo que preciso fazer é lembrar como eu era quando Deus me chamou para o ministério em tempo integral. Certamente eu não era o tipo de pessoa que o mundo escolheria para fazer o que faço hoje. Na verdade, acredito piamente que a maioria das pessoas teria desistido de mim.

É maravilhoso e muito reconfortante saber que quando todos os outros apenas veem os nossos erros, Deus ainda vê as nossas possibilidades.

Quando Deus começou a me usar para ministrar sobre a vida de outras pessoas, eu ainda tinha muitos maus hábitos em minha vida. Precisava ser muito refinada pelo Senhor. Eu amava sinceramente a Deus e queria fazer o que era certo, mas tinha pouca revelação acerca de quaisquer dos Seus preceitos. Eu conhecia os Dez Mandamentos, frequentava a igreja e tentava ser uma pessoa "boa". Eu acrescentava algumas "boas obras" aos meus dias e esperava que isso fosse suficiente para que eu entrasse pelos "portões de pérola", mas eu não era verdadeiramente vitoriosa em minha vida diária.

Eu era sincera, mas conhecia muito pouco a verdade. Eu tinha inúmeros problemas. Havia sofrido abuso sexual quando criança por muitos anos, e os efeitos ainda eram devastadores sobre mim. Eu fui muito ferida em diversos relacionamentos pessoais e sequer entendia o que o amor era verdadeiramente.

Eu tinha uma personalidade fundamentada na vergonha e na culpa que se originava do abuso que sofri — um trauma que influenciava todas as áreas da minha vida. Certamente eu não gostava de mim mesma. Definitivamente eu tinha uma autoimagem muito negativa. Era extremamente insegura e muito medrosa. Por fora, eu aparentava ser independente e autossuficiente, como se não precisasse de ninguém e não me importasse com o que os outros pensavam a meu respeito. Para aqueles que não me conheciam, eu provavelmente parecia ser muito ousada e agressiva. Minha vida exterior, porém, não se equiparava à minha vida interior. Interiormente, eu era um caos. Mas Deus me encheu com o Seu Espírito Santo e me mostrou que Ele queria me usar para ministrar a outros.

O Senhor não esperou que eu estivesse nova em folha para se envolver comigo. Ele começou a trabalhar em mim do jeito que eu estava naquela época, e Ele tem sido responsável por me trazer até aqui. Estou convencida de que Ele fará o mesmo por você.

DEUS O ENCONTRARÁ ONDE VOCÊ ESTIVER

E Deus ouviu a voz do menino, e o anjo de Deus chamou do céu a Agar e lhe disse: "O que te perturba, Agar? Não temas, porque Deus ouviu a voz do menino daí onde ele está."

Gênesis 21:17

Na Bíblia, vemos que quando as pessoas estavam com problemas, Deus as encontrava onde elas estivessem e as ajudava. Graças a Deus porque Ele não espera que consigamos chegar até Ele — Deus vem até nós!

Agar, a serva de Sara, e seu filho Ismael haviam sido expulsos por Abraão e Sara e estavam enfrentando a morte no deserto. Deus havia dito a Abraão que fizesse como Sara sugeriu e separasse Ismael (o filho gerado pelo esforço próprio deles) e Isaque (o filho da promessa).

Mas Deus não descartou Ismael. Ele não estava jogando-o fora, como deve ter parecido naquele momento, mas estava levando-o para outro capítulo de sua vida.

Definitivamente, Ismael poderia ser visto como um erro. Anteriormente, Deus havia dito a Abrão e Sarai — que mais tarde receberam os novos nomes de Abraão e Sara — que Ele lhes daria um filho. Mas assim como muitos de nós, eles se cansaram de esperar em Deus e começaram a desenvolver o próprio plano. Eles cometeram um erro, mas Deus não parou de trabalhar na vida deles.

Sarai deu sua serva Agar a Abrão para ser sua esposa secundária. Ela pediu que ele tivesse relações com Agar, já que a própria Sarai era estéril. Ela imaginou que com esse ato Deus lhes daria o filho prometido. Esse absolutamente não era o plano de Deus; na verdade, essa atitude causou muitos problemas, como lemos em Gênesis 16 a 18. Ao estudarmos esses capítulos, parece que todos estavam cometendo erros. Mas Deus obviamente conhecia o coração deles porque estava disposto a trazer correção e redimir o caos que eles haviam criado.

Deus costuma transformar erros em milagres. O abuso que sofri quando criança foi definitivamente um erro e nunca deveria ter acontecido. Foi um erro não apenas para mim, mas para todos os envolvidos. Entretanto, porque Deus é tão grande, Ele pegou esse erro e transformou-o em um ministério, um ministério que está ajudando outras pessoas. Deus me encontrou onde eu estava, e embora as outras pessoas me rejeitassem e me considerassem inapta para o ministério, Deus me aceitou.

DEUS ESCOLHE CANDIDATOS IMPROVÁVEIS — COMO VOCÊ E EU!

E Deus também escolheu (deliberadamente) o que no mundo é insignificante, baixo, estigmatizado e tratado com desprezo, e as coisas que nada são, para que Ele pudesse derrubar e reduzir a nada as coisas que são, a fim de que nenhum homem mortal se vanglorie [tenha a pretensão de se gloriar] na presença de Deus.

1 Coríntios 1:27-29

Deus escolhe deliberadamente aqueles que são os candidatos mais improváveis para o trabalho. Ao fazer isso, Ele abre uma grande porta para demonstrar a Sua graça e a Sua misericórdia, bem como o Seu poder para transformar vidas humanas. Quando Deus usa alguém como eu ou muitos outros a quem Ele está usando, percebemos que a nossa fonte não está em nós mesmos, mas somente nele: "[Isto] porque a loucura de Deus [que tem sua fonte em Deus] é mais sábia que os homens, e a fraqueza [que vem] de Deus é mais forte que os homens" (1 Coríntios 1:25).

Cada um de nós tem um destino, e não há absolutamente nenhuma desculpa para não cumpri-lo. Não podemos usar a nossa fraqueza como desculpa, porque Deus diz que a Sua força se aperfeiçoa na fraqueza (2 Coríntios 12:9). Não podemos usar o passado como desculpa porque Deus nos diz, por intermédio do apóstolo Paulo, que se uma pessoa está em Cristo, ela é uma nova criatura; as coisas velhas se passaram e todas as coisas se tornaram novas (2 Coríntios 5:17).

A maneira como Deus nos vê não é o problema, é a maneira como vemos a nós mesmos que nos impede de ter êxito. Cada um de nós pode ter sucesso em ser tudo o que Deus pretende que sejamos.

Passe algum tempo com você e faça um inventário de como se sente acerca de si mesmo. Como é a sua autoimagem? Que tipo de retrato você leva em seu interior a respeito de si mesmo? Quando olha para esse retrato pessoal, você se parece com um "cão morto" ou com um gafanhoto? Você se vê como uma criatura desesperançada a quem ninguém ama? Ou você se vê recriado à imagem de Deus, ressuscitado para uma nova vida que está apenas esperando que você a reivindique?

3

"EU ESTOU BEM, E ESTOU A CAMINHO!"

E estou convencido e certo disto, de que Aquele que começou a boa obra em vós continuará até o dia de Jesus Cristo (até o tempo da Sua vinda), desenvolvendo (aquela boa obra), aperfeiçoando-a e levando-a à plena finalização em vós.

FILIPENSES 1:6

Ainda não cheguei lá, assim como ninguém mais chegou. Estamos todos no processo de nos tornarmos algo. Durante muito tempo em minha vida eu achei que nunca estaria bem até chegar onde queria estar, mas aprendi que isso não é verdade. Embora meu coração deseje ser tudo que Deus quer que eu seja e eu anseie ser como Jesus, minha carne nem sempre coopera comigo.

Em Romanos 7, Paulo disse que não conseguia fazer as coisas boas que ele queria fazer, e as coisas más que não queria fazer, ele sempre se via fazendo! Ele disse que se sentia desprezível. Eu me identifico com isso, e você? No versículo 24, ele clamou: "Quem me livrará [das algemas] do corpo desta morte?" Então, no versículo seguinte, como se tivesse recebido uma resposta que foi uma revelação para ele, Paulo disse: "Ah, graças a Deus! [Ele o fará] através de Jesus Cristo (o Ungido) nosso Senhor!"

Sim, todos nós temos um caminho a ser percorrido. Eu ficava perturbada ao ver a grande distância que eu ainda tinha a percorrer, e parecia que Satanás me lembrava disso diariamente, às vezes de hora em hora. Eu tinha uma sensação constante de fracasso, um sentimento de que simplesmente não era o que precisava ser, de que não estava fazendo o suficiente, de que deveria me esforçar mais — porém, quanto mais eu me esforçava, mais fracassava.

Agora adotei uma nova atitude: "Ainda não estou onde preciso estar, mas graças a Deus não estou mais onde estava antes. Estou bem, e estou a caminho!"

CONTINUE ANDANDO!

Mas a vereda dos [inflexivelmente] justos e retos é como a luz da aurora, que vai brilhando mais e mais (mais brilhante e mais clara) até [chegar à sua plena força e glória] o dia perfeito [que está sendo preparado].

Provérbios 4:18

Agora sei de todo o meu coração que Deus não está zangado comigo porque ainda não cheguei lá. Ele está satisfeito porque estou avançando, porque não estou desviando do caminho. Se simplesmente "continuarmos a continuar", Deus ficará satisfeito com o nosso progresso.

Continue marchando. Marchar é algo que é feito um passo de cada vez. Isso é uma coisa importante para se lembrar.

Se eu convidasse você para dar uma caminhada e ficasse zangada depois dos primeiros passos porque ainda não chegamos ao nosso destino, você acharia que sou louca. Podemos entender coisas banais como essa, no entanto temos dificuldade em entender que Deus espera que leve algum tempo para crescermos espiritualmente.

Não achamos que há algo errado com as crianças de um ano de idade porque elas não conseguem andar perfeitamente. Elas caem com frequência, mas nós as levantamos, as amamos, fazemos curativos nelas se necessário, e continuamos incentivando-as. Certamente o nosso Deus tremendo pode fazer ainda mais por nós do que nós fazemos pelos nossos filhos.

MANTENDO O EQUILÍBRIO

Sejam equilibrados (moderados, sóbrios em suas mentes), sejam vigilantes e cautelosos em todo o tempo; pois aquele seu inimigo, o diabo, perambula em derredor como um leão rugindo [com uma fome feroz], procurando alguém para agarrar e devorar.

1 Pedro 5:8

É muito importante manter o equilíbrio em todas as coisas, pois se não o fizermos abriremos a porta para Satanás.

Temos refletido aqui em como ter uma autoimagem positiva. Uma maneira de fazermos isso é entendendo que ainda não chegamos à perfeição, ainda precisamos crescer, mas estamos nos saindo bem. É verdade que precisamos continuar avançando, mas graças a Deus não temos de odiar e rejeitar a nós mesmos enquanto tentamos chegar ao nosso destino.

Qual é a postura cristã saudável e que se espera que tenhamos a nosso respeito? Eis alguns pensamentos que refletem esse tipo de autoimagem sadia, centrada em Deus:

- Sei que Deus me criou e que Ele me ama.
- Tenho falhas e fraquezas, e quero mudar. Creio que Deus está trabalhando em minha vida, e está me transformando pouco a pouco, dia a dia. Enquanto Ele faz isso, ainda posso gostar de mim mesmo e da vida que tenho.
- Todos temos falhas, por essa razão eu não sou um fracasso total apenas porque não sou perfeito.
- Vou trabalhar com Deus para superar minhas fraquezas, mas entendo que sempre haverá algo com o qual terei de lidar; portanto, não me deixarei desanimar quando Deus me convencer de áreas em minha vida que precisem ser aperfeiçoadas.

- Quero fazer as pessoas felizes e desejo que elas gostem de mim, mas o meu senso de valor não depende do que os outros pensam a meu respeito. Jesus já afirmou o meu valor se dispondo a morrer por mim.
- Não serei controlado pelo que as pessoas pensam, dizem ou fazem. Ainda que elas me rejeitem totalmente, sobreviverei. Deus prometeu nunca me rejeitar ou me condenar desde que eu continue crendo (João 6:29).
- Não importa quantas vezes eu falhe, não desistirei, porque Deus está comigo para me fortalecer e me sustentar. Ele prometeu nunca me deixar ou abandonar (Hebreus 13:5).
- Gosto de mim mesmo. Não gosto de tudo o que faço e quero mudar — mas recuso-me a rejeitar quem sou.
- Está tudo bem entre mim e Deus por intermédio de Jesus Cristo.
- Deus tem um bom plano para a minha vida. Cumprirei o meu destino e serei tudo o que posso ser para a Sua glória. Tenho dons e talentos dados por Deus, e pretendo usá-los para ajudar outras pessoas.
- Não sou nada, mas ao mesmo tempo sou tudo! Em mim mesmo nada sou, porém em Jesus sou tudo o que preciso ser.
- Posso fazer todas as coisas que preciso fazer, tudo o que Deus me chamar para fazer, por meio de Seu Filho Jesus Cristo (Filipenses 4:13).

Veja aqui algumas sugestões adicionais para ajudá-lo a desenvolver e manter uma atitude equilibrada e uma autoimagem saudável:

1. Sempre rejeite e odeie o seu pecado, mas não rejeite a si mesmo.
2. Seja rápido em arrepender-se.
3. Seja honesto com Deus e consigo mesmo a respeito de você.
4. Quando for iluminado por Deus, não tenha medo do que a luz revelar.

5. Pare de dizer coisas negativas e depreciativas a respeito de si mesmo, mas também não se gabe.
6. Não tenha uma opinião exagerada acerca da sua importância, mas não ache que você é insignificante.
7. Quando as coisas saírem errado, não suponha sempre que a culpa é sua. Mas não tenha medo de admitir se estiver errado.
8. Cuidado para não passar muito tempo pensando em si mesmo. Não medite excessivamente no que você fez de certo ou de errado. Isso mantém a sua mente focada em você! Mantenha os seus pensamentos centrados em Cristo e nos Seus princípios: "Tu guardarás e conservarás em perfeita e constante paz aquele cuja mente [tanto na sua inclinação quanto no seu caráter] é firme em Ti..." (Isaías 26:3).
9. Cuide bem de você fisicamente. Faça o melhor que puder com o que Deus lhe deu para trabalhar — mas não seja exagerado ou vaidoso demais com sua aparência.
10. Aprenda tudo o que puder, mas não permita que a sua educação faça de você alguém orgulhoso. Deus não nos usa por causa da nossa instrução, mas por causa do nosso coração para com Ele.
11. Entenda que os seus dons e talentos são um presente; você não os tem por mérito próprio. Não menospreze as pessoas que não podem fazer o que você pode.
12. Não despreze as suas fraquezas — elas o mantêm dependente de Deus.

"COMO POSSO MUDAR?"

E não vos conformeis com este mundo (esta era), [moldados e adaptados aos seus costumes externos superficiais], mas sede transformados (mudados) pela total renovação da vossa mente [pelos seus novos ideais e atitudes]...

Romanos 12:2

A mudança não é fruto de coisas como dificuldades vividas, esforço humano sem Deus ou obras da carne. Tampouco resultam de nos odiarmos ou rejeitarmos quem somos. A mudança acontece em nossa vida como resultado de termos nossa mente renovada pela Palavra de Deus. À medida que passamos a estar em sintonia com Deus e a realmente crer que o que Ele diz é verdade, a mudança começa a se manifestar gradualmente em nós. Começamos a pensar de modo diferente, depois começamos a falar de modo diferente, e por fim começamos a agir de modo diferente. Esse é um processo que se desenvolve em estágios, por isso precisamos sempre nos lembrar de que enquanto ele está ocorrendo, ainda podemos ter esta atitude: "Eu estou bem, e estou a caminho!"

Divirta-se enquanto você está mudando. Aproveite o lugar onde você está agora, enquanto avança em direção ao lugar para onde está indo. Aprecie a jornada! Não desperdice o seu presente tentando correr para o futuro. Lembre-se de que o amanhã trará os seus próprios problemas (ver Mateus 6:34).

Hoje você talvez lute contra um temperamento difícil, e imagine que se pudesse simplesmente ser liberto nessa área, tudo ficaria bem. A questão é que talvez você tenha se esquecido de que quando isso acontecer, Deus revelará outra coisa que precisa ser tratada em sua vida, e você voltará a pensar da mesma maneira: *Se eu simplesmente não tivesse este problema, poderia ser feliz.*

Precisamos aprender a olhar para essas questões a partir de uma nova perspectiva.

UM NOVO E VIVO CAMINHO

Por este novo e vivo caminho que Ele iniciou, dedicou e abriu para nós através da Cortina de separação (o véu do Santo dos Santos), isto é, através da Sua carne.

Hebreus 10:20

No período da Velha Aliança, as pessoas tinham de seguir a Lei; quando cometiam erros, elas faziam sacrifícios para expiá-los. Havia uma grande quantidade de leis, numerosas demais para que qualquer pessoa conseguisse cumprir todas elas. O resultado eram obras, obras, obras, obras — pessoas tentando e fracassando, sentindo-se culpadas e tentando com mais afinco. Era um ciclo interminável que exauria as pessoas.

A Lei veio para o povo em duas tábuas de pedra, que foram dadas por Deus a Moisés. Ela tornava o coração das pessoas endurecido e empedernido enquanto elas tentavam desesperadamente cumpri-la.

A Lei, a "dispensação da morte", foi substituída pela "dispensação do Espírito" — um novo e vivo caminho.

LEI OU ESPÍRITO?

> *Ora, se a dispensação da morte gravada em letras de pedra [a ministração da Lei], foi inaugurada com tamanha glória e esplendor, que os israelitas não podiam olhar firmemente para o rosto de Moisés por causa do seu brilho [uma glória], que iria se esvair e desaparecer, por que não deveria a dispensação do Espírito [este ministério espiritual cuja tarefa é fazer os homens receberem e serem governados pelo Espírito Santo] se revestir de glória muito maior e mais esplêndida?*
> 2 Coríntios 3:7-8

Na verdade, viver sob a Lei ministra morte, e não vida. Para mim, "viver sob a Lei" significa ter a sensação de que preciso fazer tudo perfeitamente; caso contrário, terei problemas com Deus. Significa regras e regulamentos sem qualquer liberdade. Vivi sob a Lei por anos, e isso roubou minha paz e minha alegria. Eu estava viva, mas cheia de morte.

A morte nesse sentido significa de fato toda espécie de miséria. A vida legalista torna as pessoas duras e inflexíveis. Elas não sabem praticamente nada sobre misericórdia; elas não a recebem de Deus nem a dão a outros.

Embora estivesse tentando aprender a andar em amor, eu percebia que não era uma pessoa muito misericordiosa. Mais uma vez Deus me ensinou que eu não podia dar algo que não tinha. Eu não recebia a misericórdia que Deus derramava sobre mim por causa dos meus fracassos, portanto não tinha nenhuma misericórdia para dar às outras pessoas. Eu tentava seguir todas as regras e regulamentos: os que me foram passados, os que a igreja criou e todos os milhares de outros com os quais permiti que Satanás programasse a minha mente. Eles não eram nem sequer bíblicos, eram apenas coisas para fazer as pessoas se sentirem culpadas.

Deus deu dez mandamentos a Moisés. Certa vez li que, na época em que Jesus veio, os líderes religiosos haviam transformado esses dez mandamentos em aproximadamente 2.200 regras e regulamentos diferentes a serem seguidos. Não sei ao certo se eles tinham 2.200 mandamentos ou não, mas sei que havia mais regras do que qualquer pessoa poderia suportar.

Algumas pessoas têm uma tendência maior ao legalismo que outras. Até o nosso temperamento pode contribuir para o perfeccionismo e o legalismo. Mas precisamos nos lembrar de que onde há legalismo, também há morte.

Jesus disse que Ele veio para dar vida (João 10:10). A nova dispensação foi uma dispensação pela qual as pessoas deviam ser governadas não pela Lei, mas pelo Espírito de Deus. *Era uma nova maneira de viver!* Ela incluía misericórdia quando se fracassa, perdão quando se peca e substituição dos sacrifícios pela fé em Jesus Cristo.

Era quase bom demais para ser verdade. Era simples, e para muitas pessoas era simples demais. Basicamente, elas não conseguiam acreditar, por isso continuavam se esforçando na tentativa de impressionar a Deus com sua bondade. A Bíblia diz que somos justificados pela fé, e não pelas obras (Efésios 2:8-9). Qualquer tentativa de obter justificação e justiça por qualquer outro meio apenas nos frustra e nos esgota.

O LEGALISMO ACABOU, ESTAMOS PRONTOS PARA UMA NOVA VIDA!

Agora, porém, estamos libertados da Lei e encerramos todas as relações com ela, tendo morrido para aquilo que um dia nos restringiu e nos manteve cativos. De modo que agora servimos não [em obediên-

cia] ao velho código de regulamentos escritos, mas [em obediência aos apelos do] ao Espírito em novidade [de vida].

Romanos 7:6

Vemos novamente que servir a Deus sob a Nova Aliança traz novidade de vida. Realmente é uma maneira inteiramente nova de viver, e precisamos ter a nossa mente renovada para isso. Teremos de aprender a pensar de modo diferente — acerca de nós mesmos e acerca do que Deus espera de nós.

A ALEGRIA DO PROGRESSO

... se tão somente eu puder completar a minha carreira com alegria...
Atos 20:24

O apóstolo Paulo queria ser tudo o que Deus queria que ele fosse, e ele desejava fazer tudo o que Deus queria que ele fizesse — mas ele queria fazer isso com alegria.

Precisamos aprender a nos alegrar com o nosso progresso, e a não ficar deprimidos com a distância que ainda temos de percorrer. Precisamos aprender a olhar para aquilo que é positivo, e não para o negativo.

Um dos efeitos colaterais do legalismo é que as pessoas só conseguem se sentir satisfeitas quando cumprem toda a Lei. Se falharem em um ponto, elas são culpadas de todos eles (Tiago 2:10). Um dos benefícios da Nova Aliança é o fato de que podemos estar satisfeitos durante toda a jornada. A nossa satisfação não deve ser basear no nosso desempenho, mas no próprio Jesus.

Em João 10:10 Jesus disse que veio para que tivéssemos vida e desfrutássemos dela. Nesse mesmo versículo, Ele disse: "O ladrão vem somente para matar, roubar e destruir..." O ladrão ao qual Jesus se referia, na verdade, é o legalismo ou uma abordagem legalista de Deus. Ela rouba tudo de nós e não nos dá nada em troca, a não ser culpa e infelicidade. Não conseguimos ser justos por meio da Lei, nem ter paz e alegria. Mas, por intermédio de Jesus, todas essas coisas são nossas como dons gratuitos concedidos pela graça de Deus, e não conquistadas pelas nossas obras. Nós as recebemos quando cremos.

VIVA COM ALEGRIA, PAZ E ESPERANÇA

Que o Deus da vossa esperança vos encha de toda alegria e paz no vosso crer [através da experiência da vossa fé] e que pelo poder do Espírito Santo possais ser abundantes e transbordar de esperança.

Romanos 15:13

Lembro-me de uma noite na qual estava me sentindo extremamente insatisfeita e descontente. Recorri a uma "Caixinha de Promessas" que alguém tinha me dado. Uma caixinha de promessas é uma pequena caixa cheia de versículos bíblicos. O propósito dessa caixa é o cristão poder retirar um versículo que lembre a ele uma das promessas de Deus sempre que houver necessidade. Bem, eu sentia que precisava de alguma coisa, mas não estava certa do que era. Eu não tinha paz ou alegria, e me sentia completamente infeliz.

Tirei um cartão com Romanos 15:13 impresso, e realmente aquela foi uma "palavra oportuna" para mim (Isaías 50:4). O meu problema era simples: eu estava duvidando em vez de crer. Estava duvidando do amor incondicional de Deus, duvidando de que eu pudesse ouvi-lo, duvidando do chamado do Senhor para a minha vida, duvidando que Ele estivesse satisfeito comigo. Eu estava cheia de dúvida... dúvida... dúvida. Quando enxerguei qual era o problema, me voltei para a fé e abandonei a dúvida. Minha alegria e minha paz voltaram imediatamente.

Constatei essa verdade por diversas vezes em minha vida: quando a alegria e a paz parecem desaparecer, verifico como está a minha capacidade de "crer" — geralmente ela também se foi. Faz sentido, então, que duvidar de nós mesmos também roube a nossa alegria e a nossa paz.

Lembro-me de anos em minha vida nos quais o meu relacionamento comigo mesma se baseava quase que exclusivamente na dúvida. Duvidava das minhas decisões, duvidava da minha aparência, duvidava se estava sendo realmente guiada pelo Espírito Santo; eu duvidava se estava fazendo a coisa certa ou dizendo a coisa certa, se estava de alguma maneira agradando a Deus ou a qualquer outra pessoa. Eu sabia que não estava satisfeita comigo mesma, então, como alguém poderia estar satisfeito comigo?

Sou extremamente grata por aqueles anos de infelicidade terem ficado para trás. Agora coloco em prática Gálatas 5:1: "Nesta liberdade Cristo nos libertou [e nos livrou completamente]; portanto fiquem firmes, e não se deixem embaraçar ou enlaçar nem se submetam novamente ao jugo de escravidão [que um dia vocês abandonaram]." Eu estava presa em um cativeiro de legalismo tão profundo que provavelmente sempre terei de lutar contra ele. Agora eu o reconheço e também os seus sintomas — e esse conhecimento me faz continuar resistindo a Satanás e desfrutando a minha liberdade em Cristo.

Podemos ser livres para crer que estamos realmente bem e que estamos a caminho — ainda não somos perfeitos, mas estamos avançando. Podemos ser livres para desfrutar a vida, desfrutar Deus e desfrutar de nós mesmos.

4
VOCÊ SE PERDEU?

> Tendo dons (faculdades, talentos, qualidades) que diferem de acordo com a graça que nos foi dada, devemos usá-los; a (aquele cujo dom é a) profecia (que profetize), de acordo com a proporção da sua fé (aquele cujo dom é); o serviço prático, que ele se dedique a servir; aquele que ensina, ao seu ensino; aquele que exorta (encoraja), à sua exortação; aquele que contribui, que o faça com simplicidade e liberalmente; aquele que presta ajuda e preside, com zelo e determinação; aquele que exerce misericórdia, com prazer genuíno e alegre entusiasmo.
>
> **ROMANOS 12:6-8**

Como podemos ter êxito em ser nós mesmos se não nos conhecemos? A vida às vezes é como um labirinto, e é fácil se perder. Parece que todos esperam alguma coisa diferente de nós. Somos pressionados de todos os lados a tentar deixar os outros felizes e atender às suas necessidades.

Gastamos muita energia emocional e mental analisando as pessoas importantes em nossa vida e tentando descobrir o que elas querem de nós. Em seguida, tentamos nos tornar o que elas querem que sejamos. Nesse processo, podemos nos perder de nós mesmos.

Nesse processo, também podemos falhar em descobrir o que Deus quer ou planeja para nós. Podemos tentar agradar a todos enquanto não estamos agradando a nós mesmos.

Durante anos em minha vida tentei ser tantas coisas que eu não era, que acabei ficando totalmente confusa. Finalmente entendi que eu não sabia como eu deveria ser. Em algum ponto ao longo do processo de tentar atender a todas as exigências colocadas sobre mim por mim mesma e pelos outros, perdi de vista quem era Joyce Meyer. Tive de sair daquela roda viva e fazer a mim mesma algumas perguntas sérias: "Para quem estou vivendo? Por que estou fazendo todas estas coisas? Será que me tornei alguém que vive para agradar às pessoas? Estou realmente dentro da vontade de Deus para a minha vida? O que quero fazer com a minha vida? Para que acredito ter sido ungida e recebido dons?"

Sentia-me pressionada a tentar ser como meu marido. Dave sempre foi muito calmo, estável, tranquilo e livre de qualquer preocupação ou cuidado. Eu sabia que essa era a maneira certa de ser, então tentava com muito afinco ser como ele. Por outro lado, eu era agressiva. Tomava decisões rápidas. Eu não tinha um humor estável como o de Dave, e tinha a tendência de me preocupar quando tínhamos problemas.

Sentia-me pressionada a ser como minhas amigas e colegas. A esposa do meu pastor tem uma natureza muito doce. Quando eu estava com ela, sentia que precisava ser mais doce.

Sentia-me pressionada a ser como minha amiga. Ela era muito criativa; cozinhava, costurava, pintava, colocava papel de parede na casa, cuidava do jardim e parecia ser tudo o que eu não era — então eu tentava ser como ela.

Na verdade, eu estava tentando ser como tantas pessoas ao mesmo tempo, que acabei me perdendo.

Você também se perdeu? Você está frustrado por tentar atender a todas as exigências das outras pessoas enquanto você mesmo não se sente realizado? Nesse caso, você terá de tomar uma posição e estar determinado a se encontrar e, então, ter sucesso em ser você mesmo. Se você embarcar na estratégia do mundo, sempre sofrerá pressões de diferentes lados.

Por exemplo, sua mãe pode querer que você seja gentil, bondoso e amoroso. Seu pai pode querer que você seja forte, confiante e determinado. Sua mãe pode querer que você a visite com mais frequência. Seu pai pode querer que você passe mais tempo com ele jogando futebol. Seus amigos podem querer que você continue os seus estudos. Seu médico ou seu *personal trainer* podem querer que você se exercite três vezes por semana. Seu cônjuge pode querer que você esteja mais disponível, e seus filhos podem precisar que você esteja mais envolvido nas atividades escolares deles. Seu chefe pode querer que você faça horas extras; sua igreja pode precisar que você trabalhe como introdutor e ajude na peça de Páscoa; o líder do ministério de louvor pode insistir para que você cante no coral, e seus vizinhos podem querer que você corte a grama do jardim com mais frequência!

Você já teve a sensação de que não conseguiria ser tudo que todos queriam que você fosse? Já teve a convicção bem lá dentro de você de que realmente precisava dizer "não" a muitas pessoas, mas o medo de desagradá-las fazia com que a sua boca dissesse, "vou tentar", enquanto o seu coração estava gritando, "não posso fazer isso!"?

Pessoas inseguras dizem "sim" quando na verdade querem dizer "não". Aqueles que são bem-sucedidos em ser eles mesmos não permitem que os outros os controlem. Eles são guiados pelo coração, e não pelo medo de desagradar os outros ou de serem rejeitados por eles.

Não podemos ficar zangados com as pessoas porque elas nos fazem exigências. É nossa responsabilidade governar nossa vida. Precisamos conhecer a nossa identidade, a nossa direção e o nosso chamado — a vontade de Deus para nós. Precisamos tomar as decisões que nos manterão avançando em direção ao nosso alvo. Precisamos ser indivíduos focados e com propósito.

Lembro-me de que me sentia muito pressionada quando as pessoas me pediam para fazer alguma coisa que eu realmente não queria fazer. Eu acreditava que elas estavam me pressionando, mas, na verdade, eram os meus próprios medos e inseguranças que estavam gerando a pressão.

Dave é muito seguro, por essa razão ele nunca sente esse tipo de tensão. Ele acredita que é guiado pelo Espírito de Deus. Se ele se sente impelido a fazer alguma coisa, ele o faz. Se não sente que alguma coisa é certa para ele, Dave não faz. Para ele, isso é algo muito simples.

Muitas vezes lhe perguntei: "Você não se importa com o que as outras pessoas pensam?" A resposta dele também é simples. Ele diz: "O que elas pensam não é problema meu." Ele sabe que a responsabilidade dele é ser o que Deus o criou para ser. Dave está tendo sucesso em ser ele mesmo!

Naturalmente, há momentos na vida em que todos nós fazemos coisas que preferíamos não fazer. Fazemos coisas pelos outros porque os amamos, e realmente devemos fazer isso. Mas ao fazê-lo, ainda estamos sendo guiados pelo Espírito de Deus a andar em amor e a fazer um sacrifício em benefício de outra pessoa para o bem-estar dela. Isso é totalmente diferente de ser controlado e manipulado pelas exigências e expectativas alheias.

SER DIFERENTE NÃO É RUIM

O sol é glorioso de uma maneira, a lua é gloriosa de outra maneira, e as estrelas são gloriosas à sua própria maneira [distinta]; pois uma estrela difere da outra e ultrapassa a outra em beleza e esplendor.

1 Coríntios 15:41

Todos nós somos diferentes. Assim como o sol, a lua e as estrelas, Deus nos criou para sermos diferentes uns dos outros, e Ele fez isso de propósito.

Cada um de nós supre uma necessidade, e todos fazemos parte do plano geral de Deus. Quando nos esforçamos para ser como os outros, não apenas nos perdemos, como também entristecemos o Espírito Santo. Deus quer que nos encaixemos no plano que Ele preparou, e não que nos sintamos pressionados tentando nos encaixar nos planos de outras pessoas. Ser diferente não é ruim; não há problema algum nisso.

Todos nós nascemos com temperamentos diferentes, características físicas diferentes, impressões digitais diferentes, dons e habilidades diferentes, entre tantas outras coisas. Nosso objetivo deveria ser descobrir o que devemos ser individualmente, e sermos bem-sucedidos nisso.

Romanos 12 nos ensina que devemos nos dedicar ao nosso dom. Em outras palavras, devemos descobrir em que somos bons e depois nos dedicarmos a isso de todo o coração.

Descobri que gosto de fazer o que sou boa em fazer. Algumas pessoas acham que não são boas em nada, mas isso não é verdade. Quando nos esforçamos para fazer o que outras pessoas sabem fazer bem, geralmente fracassamos porque não somos capacitados para essas coisas; mas isso não significa que não somos bons em nada.

Tentei costurar as roupas de minha família porque minha amiga costurava, mas eu não era boa nisso. Tentei aprender a tocar violão e cantar porque eu gostava de música e queria liderar a adoração na reunião de estudo bíblico em minha casa. Não consegui aprender a tocar violão porque meus dedos eram curtos demais e eu parecia cantar em um tom no qual ninguém mais cantava, além de não saber absolutamente nada de teoria musical. Então, fracassei nisso também.

Para ser sincera, enquanto eu estava ocupada tentando ser o que todo mundo era, fracassava em quase tudo. Quando aceitei o que Deus tinha para mim e comecei a fazer isso, comecei a ter êxito.

Meu pastor certa vez me disse que eu era "uma boca" no Corpo de Cristo. Todos nós somos parte de um corpo, e eu sou uma boca. Eu falo! Sou uma professora, uma comunicadora; uso a minha voz para conduzir as pessoas. Tenho grande alegria desde que tomei a decisão de estar satisfeita com quem sou, e parar de tentar ser alguém que não sou. Existem muitas coisas que não posso fazer, mas estou fazendo o que posso fazer.

Eu encorajo você a se concentrar no seu potencial em vez de olhar para as suas limitações.

Todos nós temos limitações, e precisamos aceitá-las. Isso não é ruim; é apenas um fato. É maravilhoso ser livre para ser diferente e não achar que alguma coisa está errada conosco por causa disso.

Deveríamos ser livres para amar e aceitar a nós mesmos e uns aos outros sem nos sentirmos pressionados por comparações e competições. Pessoas seguras, que sabem que Deus as ama e tem um plano para elas, não se sentem ameaçadas pelas habilidades dos outros. Elas valorizam o que as outras pessoas podem fazer e apreciam o que elas mesmas podem fazer.

Em Gálatas 5:26, o apóstolo Paulo nos incentiva: "Não nos deixemos possuir de vanglória e de presunção, nem sejamos competitivos e desafiadores, provocando uns aos outros, irritando uns aos outros, tendo inveja e ciúmes uns dos outros." Então, no capítulo seguinte, ele continua dizendo: "Mas cada pessoa analise, examine e teste cuidadosamente a sua própria conduta e o seu próprio trabalho. Poderá então ter a satisfação pessoal e a alegria de fazer algo elogiável [em si mesmo apenas] sem [recorrer à] comparação orgulhosa com o seu próximo" (Gálatas 6:4).

A comparação e a competição pertencem ao mundo, não procedem de Deus. O sistema do mundo exige essas coisas, mas o sistema de Deus as condena.

Quando eu comparecer diante de Deus, Ele não irá me perguntar por que não fui como Dave ou como o apóstolo Paulo, ou como a esposa do meu pastor, ou como minha amiga. E não quero ter de ouvi-lo dizer: "Por que você não foi Joyce Meyer?" Mas quero ouvi-lo dizer: "Muito bem, servo bom e fiel..." (Mateus 25:23).

Quero poder dizer ao Pai o que Jesus lhe disse em João 17:4: "Eu Te glorifiquei na terra, consumando a obra que me confiaste para fazer."

QUEM SÃO "ELES"?

... onde está o Espírito do Senhor, aí há liberdade.
2 Coríntios 3:17

Ocorreu-me que parece que "eles" governam a nossa vida. É impressionante quantas decisões tomamos com base na opinião "deles". Se começarmos a ouvir com atenção, perceberemos com que frequência fazemos esta afirmação: "Bem, você sabe, eles sempre dizem..."

Por exemplo, "eles" decidem que cores podemos combinar, que estilo de roupas é apropriado, como podemos cortar nosso cabelo e o que temos permissão para comer e beber. "Eles" são, na verdade, uma pessoa ou um grupo de pessoas em algum lugar que não é muito diferente de nós. "Eles" estabeleceram um padrão fazendo alguma coisa de determinada maneira, e agora parece que todos nós precisamos fazer igual, só porque "eles" dizem que deve ser assim.

Comecei a perceber que "eles" estavam governando a minha vida, e decidi que não estava gostando disso. Nem sequer sabia quem "eles" eram. Decidi que estava cansada de ser escravizada pelo que "eles" queriam e que iria viver livre do cativeiro da opinião dos outros. Podemos fazer isso, porque Jesus já nos libertou.

SOMOS LIVRES!

Se, pois, o Filho vos libertar [fizer de vocês homens livres], então vós sois real e inquestionavelmente livres.

João 8:36

Certamente Jesus nos libertou de sermos controlados e manipulados por um grupo ilusório chamado "eles". Não há dúvidas de que não temos de nos comparar com "eles" ou competir com "eles".

Se realmente estamos libertos, então somos livres para ser quem somos — e não quem outra pessoa é! Isso significa que somos livres para fazer o que Deus tem para nós, e não o que vemos outra pessoa fazer.

Vejo muitos pastores e ministros lutando porque estão tentando fazer em seus ministérios o que eles veem outra pessoa fazer. Um pastor pode observar uma igreja grande e querer saber o que o outro pastor fez para a sua igreja crescer. Ele pode fazer exatamente o que o outro pastor fez para gerar resultados excelentes e, no entanto, pode não funcionar para ele. Por quê? Porque o que funciona para ele é aquilo para o qual Deus o ungiu, e não necessariamente o que outra pessoa foi ungida para fazer.

Deus quer que busquemos a Ele para ter respostas e direção, e não que corramos para as outras pessoas e dependamos delas. Isso não significa que não podemos aprender uns com os outros, mas realmente precisamos ter equilíbrio nessa área.

Aprendi que por mais que eu possa querer fazer o que outra pessoa está fazendo, não posso fazer isso a não ser que Deus o queira e me unja para tal coisa. Ele pode ter um plano diferente para mim. Tenho de aceitar isso ou ficarei frustrada por toda a minha vida.

"POSSO FAZER... TUDO O QUE DEUS DISSER!"

Tudo posso Naquele que me fortalece.

Filipenses 4:13

Ouvimos esse versículo ser citado frequentemente, mas creio que algumas vezes ele é citado fora de contexto. Ele não quer dizer que eu posso fazer qualquer coisa que queira fazer, ou que posso fazer qualquer coisa que outra pessoa faz. O que o texto bíblico quer dizer é que posso fazer qualquer coisa que seja a vontade de Deus para mim.

Nesse versículo, o apóstolo Paulo estava na verdade se referindo à capacidade de sofrer privação ou de ter fartura e estar contente nas duas situações. Ele sabia que em qualquer situação em que estivesse, aquela era a vontade de Deus para ele naquele momento, e ele também sabia que Deus o fortaleceria para fazer aquilo para o qual ele fora chamado.

Essa compreensão de Filipenses 4:13 ajudou-me muito em minha vida e no meu ministério. Ela me ensinou a permanecer dentro dos limites do que o Senhor me chamou e me equipou para fazer, e não tentar realizar empreendimentos que não estão dentro dos talentos e das habilidades que Deus me deu para realizar. Isso não é negativismo, é sabedoria divina.

CONTENTE EM RECEBER O DOM

Respondeu João: "O homem não pode receber coisa alguma [ele não pode reivindicar nada, nem pode tomar para si nada] se do céu não lhe for dada. [O homem deve estar contente em receber o dom que lhe é dado do céu; não há outra fonte.]"

João 3:27

Esse é outro versículo que realmente me ajudou a encontrar paz, alegria e contentamento no trabalho que realizo.

Se você ler os versículos anteriores em João 3, descobrirá que alguns dos discípulos de João Batista estavam ficando preocupados porque Jesus estava batizando também, e com isso todos estavam deixando o mestre deles e se achegando a Jesus. Eles foram até João e lhe deram esse relatório. Se João não fosse seguro de si mesmo e do seu chamado, ele poderia ter ficado com medo e com ciúmes. Ele poderia se sentir inclinado a competir com Jesus a fim de manter o seu ministério. Mas a resposta de João está no versículo 27. A atitude dele foi: "Só posso fazer aquilo que fui divinamente autorizado e recebi poder para fazer, portanto preciso estar contente com esse dom e com esse chamado."

Passagens bíblicas como essas foram transformadoras para mim. Por causa do meu histórico, um dos meus pontos fracos era ser competitiva. Estava sempre me comparando com os outros, sentia inveja das pessoas, de suas habilidades e de seus bens. Eu não estava sendo eu mesma. Estava tentando estar à altura de todos os demais. Costumava me sentir pressionada e frustrada porque agia sempre fora da alçada dos meus dons e do meu chamado. Quando finalmente entendi que não poderia fazer nada a não ser que Deus tivesse ordenado e me ungido para aquilo, comecei a relaxar e dizer: "Sou o que sou. Não posso ser nada a não ser que Deus me ajude. Vou apenas me concentrar em ser a melhor 'eu' que puder ser."

DEIXE DEUS ESCOLHER A SUA FORMA DE SERVIÇO

Rogo-vos, pois, irmãos, em face de [todas as] misericórdias de Deus, que dediqueis os vossos corpos [apresentando todos os vossos membros e faculdades] como um sacrifício vivo, santo (dedicado, consagrado) e agradável a Deus, que é o vosso serviço raciocinável (racional, inteligente) e adoração espiritual.

Romanos 12:1

Outra coisa que "eles" parecem decidir por nós é o que é e o que não é uma profissão importante. Somos levados a acreditar que um médico é mais importante que um operário de uma fábrica, que um pastor é mais importante que um zelador, que uma mulher que dirige um estudo bíblico é mais importante que uma mulher que é dona de casa e mãe.

No entanto, se embarcarmos nessa filosofia, passaremos a vida tentando nos tornar o que "eles" aprovam e, nesse processo, podemos muito bem perder o nosso verdadeiro chamado.

Uma de minhas filhas, Sandra, está se tornando uma ótima conferencista. Minha outra filha, Laura, tem como principal desejo ser esposa e mãe. Elas se amam e se dão muito bem. Não existe competição entre elas. Laura não acha que está "perdendo alguma coisa" porque não quer estar no ministério em tempo integral. Ela sabe o que deve fazer, e ela o faz. Não é que Sandra seja "mais espiritual" do que Laura, elas simplesmente são diferentes e lidam com suas vidas espirituais de duas maneiras diferentes.

Laura tem dois filhos e pode estar criando um grande evangelista mundial. Às vezes são as coisas aparentemente insignificantes na vida que têm maior impacto no final. "Eles" nos dizem que só as coisas grandes são importantes, mas Deus tem ideias diferentes. O que é importante para Ele é a obediência. Laura está sendo obediente ao chamado que está sobre a sua vida, e eu tenho tanto orgulho dela quanto de minha outra filha.

Conheci muitas esposas de pastores que querem trabalhar em tempo integral na igreja e estar realmente envolvidas no ministério de seus maridos. Conheci muitas outras esposas de pastores que querem ser esposas em tempo integral para seus maridos e mães de seus filhos, sem fazer nada no ministério a não ser apoiar o marido naquilo em que ele possa precisar. Muitas vezes uma esposa de pastor sofre com a insegurança e se sente pressionada a ministrar estudos bíblicos para senhoras ou a se envolver em outros aspectos do ministério de seu marido simplesmente porque "eles" esperam que ela faça isso.

Parece que cada papel a ser cumprido na vida vem acompanhado de expectativas, mas devemos ter certeza quanto à origem dessas expectativas.

Lembro-me da mulher que foi até o altar chorando depois de um culto. Ela disse que todas as suas amigas estavam frequentando a oração da manhã em sua igreja, e elas a estavam pressionando para ir. Ela não se sentia inclinada a participar e agora estava se perguntando qual era o seu problema.

"O que há de errado comigo, Joyce?", ela perguntou enquanto as lágrimas desciam pelo seu rosto.

Conversei com ela por algum tempo e descobri que o que estava realmente em seu coração era cuidar dos filhos das mulheres que estavam frequentando a oração da manhã. Aquela mulher tinha um dom para trabalhar com crianças, e o desejo dela era ajudar dessa maneira.

Quando pressionamos as pessoas para que façam o que estamos fazendo ou o que achamos que elas deveriam estar fazendo, geralmente deixamos de desfrutar o dom com o qual elas poderiam contribuir se deixássemos Deus escolher o ministério delas. As pessoas vão querer espontaneamente colocar em prática o dom que Deus lhes deu. Da mesma forma, não nos sentiremos realizados se reprimirmos os nossos dons e fizermos o que os outros estão fazendo apenas para ter a aprovação deles ou ser aceitos.

Aquela jovem mulher ficou muito aliviada quando eu lhe disse que não havia absolutamente nada de errado com ela. Sua vida de oração era boa; ela apenas não iria exercê-la na reunião matutina de oração na igreja três vezes por semana. Recomendei que ela se mantivesse firme com as suas amigas, dizendo exatamente o que havia em seu coração. Se elas quisessem se beneficiar do dom dela, ótimo; se não, elas é que estavam perdendo.

Descobri que é preciso ousadia para ser guiado pelo Espírito Santo, porque Ele talvez nem sempre nos dirija a fazer o que todos os outros estão fazendo. Eles têm medo de "romper com o padrão" ou de ficar sozinhos. Se em algum momento ultrapassamos os limites do que "eles" dizem ser permitido, nos arriscamos a ser julgados ou criticados. Pessoas inseguras sempre cederão às expectativas e exigências dos outros em vez de enfrentarem a reprovação e a possível rejeição. Não devemos permitir que essas coisas nos impeçam de cumprir o propósito a que Deus nos designou.

LIDANDO COM A CRÍTICA E O JULGAMENTO

Assim, pois, cada um de nós dará contas de si mesmo [dará uma resposta com relação ao julgamento] a Deus.

Romanos 14:12

Confrontar a crítica e o julgamento das outras pessoas se torna mais fácil quando lembramos que, no fim das contas, é diante do nosso Mestre que permanecemos de pé ou caímos (Romanos 14:4.). No fim, responderemos unicamente a Deus. É pecado criticarmos e julgarmos, mas também é igualmente pecaminoso permitir que as opiniões das outras pessoas controlem as nossas decisões. Romanos 14:23 diz que tudo aquilo que não procede da fé é pecado.

Ansiamos por aceitação, por isso é difícil para nós lidar com a crítica e o julgamento tanto mental quanto emocionalmente. O fato é que dói ser criticado ou julgado! Entretanto, se quisermos ter êxito em sermos nós mesmos, precisamos ter a mesma atitude que Paulo demonstrou quando escreveu:

Mas [quanto a mim pessoalmente] pouco me importa que eu seja julgado por vós [a esta altura], e que vós ou qualquer outro tribunal humano me investigue, questione e torne a questionar. Tampouco julgo a mim mesmo.

De nada me acusa a consciência e me sinto inculpável; mas nem por isso estou justificado e absolvido diante de Deus. É o [próprio] Senhor quem me examina e julga.

1 Coríntios 4:3-4

Eu gosto particularmente da paráfrase de Ben Campbell Johnson da passagem anterior:

Não estou nem um pouco preocupado com o fato de que vocês estão decidindo o que está certo e o que está errado comigo... e até decretando sentenças sobre mim. Nem vocês nem qualquer outra pessoa podem me humilhar a não ser que eu humilhe a mim mesmo. (E não vou fazer isso.) Mas embora eu nada saiba contra mim mesmo, a minha ignorância não significa que estou correto na minha avaliação, porque a avaliação final está nas mãos de Deus.

A crítica e o julgamento são as ferramentas do diabo. Ele as usa para impedir as pessoas de cumprirem o seu destino e para roubar-lhes a liberdade e a criatividade.

Algumas pessoas criticam tudo o que é diferente de suas escolhas. É interessante notar que a maioria dessas pessoas também é muito insegura — é por isso que elas se sentem desconfortáveis com pessoas que não se conformam com a maneira como elas pensam ou agem.

Quando eu ainda vivia meus anos de insegurança, me via julgando as pessoas na maior parte do tempo e, é claro, sempre aquelas que não pensavam ou agiam como eu. Elas faziam eu me sentir desconfortável. Finalmente entendi que a decisão delas de serem diferentes desafiava a minha decisão.

As pessoas seguras podem lidar com o fato de serem as únicas que estão fazendo alguma coisa. Elas podem facilmente permitir que os amigos e os membros da família tenham a liberdade para fazer as próprias escolhas.

Como mencionei, meu marido Dave é muito seguro, e ele me permitiu ter sucesso em ser eu mesma. Ele não se sente ameaçado com o meu sucesso na vida porque ele está confortável consigo mesmo. Ele gosta de quem ele é. Não existe competição entre nós. Nenhum de nós é mais importante que o outro. Somos simplesmente livres para ser tudo o que podemos ser, apesar de sermos muito diferentes um do outro.

Não julgamos nem criticamos as diferenças entre nós, simplesmente as aceitamos. Nem sempre foi assim, mas aprendemos ao longo dos anos que fomos chamados para amar um ao outro, e não para mudar um ao outro.

Paulo não permitia que as opiniões dos outros mudassem o seu destino. Em Gálatas 1:10, ele disse que se estivesse buscando ter popularidade junto às pessoas, não teria se tornado um apóstolo do Senhor Jesus Cristo. Essa afirmação deveria nos ensinar muitas coisas. Como podemos ter êxito em ser nós mesmos se estivermos excessivamente preocupados com o que as outras pessoas pensam?

Em Filipenses 2:7 Paulo nos diz que Jesus "esvaziou-se a si mesmo". Jesus obviamente não estava preocupado com o que os outros pensavam. Ele tinha um objetivo: fazer a vontade do Pai — nada mais, nada menos. Ele sabia que tinha de manter a Sua liberdade a fim de cumprir o Seu destino.

A crítica e o julgamento podem ser dolorosos, mas não tão dolorosos quanto permitirmos ser controlados e manipulados por essas ações. Para mim, nada seria mais trágico do que envelhecer e sentir que em algum ponto ao longo do caminho me perdi e não tive êxito em ser eu mesma.

Você se perdeu ou você se encontrou?

5
É PRECISO TER CONFIANÇA

(Mais) bendito o homem que crê no Senhor, confia Nele e depende Dele, e cuja esperança e confiança é o Senhor.

JEREMIAS 17:7

Para termos sucesso em sermos nós mesmos, precisamos ser confiantes. Não é a autoconfiança que devemos buscar, mas a confiança em Cristo. Gosto da tradução da *Amplified Bible* de Filipenses 4:13 que diz em um trecho: "Sou autossuficiente na suficiência de Cristo." Na verdade, é pecado confiar em nós mesmos, mas confiar em Cristo deveria ser o objetivo de todo crente.

Jesus disse: "Sem Mim [cortados da união vital comigo] nada podeis fazer" (João 15:5). Parece que levamos uma eternidade para compreendermos essa verdade de fato. Continuamos tentando fazer as coisas na força da nossa carne, em vez de colocarmos toda a nossa confiança no Senhor.

A maior parte da nossa ansiedade, da nossa luta e frustração, vem de depositarmos nossa confiança no lugar errado. Em Filipenses 3:3, Paulo diz que não devemos confiar de forma alguma na carne. Isso significa que não devemos confiar em nós mesmos, nem nos nossos amigos e familiares. Não estou dizendo que não podemos confiar em ninguém, mas se dermos aos outros ou a nós mesmos a confiança que pertence somente a Deus, não teremos vitória. Deus não permitirá que tenhamos êxito até que a nossa confiança esteja no lugar certo ou, para ser mais exata, na Pessoa certa. Deus está disposto a nos dar a vitória, mas Ele precisa receber a glória, que é o crédito que lhe é devido.

CONFIE SOMENTE EM DEUS

Assim diz o Senhor: Amaldiçoado [com grande mal] é o homem que confia e depende do homem frágil, fazendo da carne fraca [humana] o seu braço, e cuja mente e coração se desviam do Senhor.
Jeremias 17:5

Para ter êxito em qualquer coisa, precisamos ter confiança, mas essa confiança deve estar primeiramente em Deus, e não em qualquer outra coisa. Precisamos desenvolver a confiança no amor, na bondade e na misericórdia de Deus. Precisamos acreditar que Ele quer que tenhamos êxito.

Deus não nos criou para o fracasso. Podemos falhar em algumas coisas a caminho do sucesso, mas se confiarmos nele, Ele tomará até os nossos erros e fará com que eles cooperem para o nosso bem (Romanos 8:28).

Hebreus 3:6 nos diz que devemos "guardar firme até o fim a nossa alegre e exultante confiança e senso de triunfo na nossa esperança [em Cristo]". É importante entender que um erro não é o fim de tudo, se guardarmos firme a nossa confiança.

Descobri que Deus transformará os meus erros em milagres, se eu continuar a confiar nele plenamente.

Todos nós temos um destino e, no meu caso, eu estava destinada a me tornar uma mestra da Bíblia e uma ministra. Era a vontade de Deus para mim desde antes da fundação da terra que eu gerasse e administrasse um ministério chamado Life In The Word (Vida na Palavra). Se não tivesse feito isso, eu nunca teria tido êxito em ser eu mesma. Eu teria ficado frustrada e não me sentiria realizada por toda a minha vida.

O fato de estarmos destinados a fazer algo não significa que isso acontecerá automaticamente. Passei por muitas coisas enquanto Deus estava desenvolvendo a minha pessoa e o meu ministério. Muitas vezes sentia vontade de desistir e abandonar tudo. Muitas vezes eu perdi a confiança no chamado que estava sobre a minha vida. Em cada uma dessas vezes tive de recuperar a minha confiança antes de avançar novamente. A confiança é definitivamente necessária para qualquer um de nós realmente ter sucesso em sermos nós mesmos.

SEJA CONSTANTE NA SUA CONFIANÇA

O homem que pela fé é justo e reto... viverá pela fé.
Romanos 1:17

A confiança nada mais é do que fé em Deus. Precisamos aprender a confiar constantemente, e não ocasionalmente.

Por exemplo, tive de aprender a permanecer confiante em Deus quando alguém se levantava e saía enquanto eu estava pregando. No começo do meu ministério, esse tipo de situação trazia à tona todas as minhas inseguranças e praticamente destruía a minha confiança.

Meus amigos e minha família me disseram que uma mulher não deveria ensinar a Palavra de Deus. Eu também sabia que algumas pessoas, principalmente alguns homens, tinham dificuldade em receber a Palavra por meio de uma mulher. Essa situação era confusa para mim porque eu sabia que Deus havia me chamado e me ungido para pregar a Sua Palavra. Eu não poderia agir de outro modo, mas ainda assim era afetada pela rejeição das pessoas, porque me faltava confiança. Tive de fortalecer a minha confiança interior até o ponto em que a opinião das pessoas e a aceitação ou rejeição delas não alterassem o meu nível de confiança. Minha confiança deveria estar em Deus, não nas pessoas.

Quando o crescimento e o progresso do meu ministério pareciam ser dolorosamente lentos, tive de pôr em prática a minha confiança. É mais fácil permanecer confiante quando vemos progresso, mas durante um tempo de espera o diabo ataca a nossa confiança e tenta destruí-la.

Romanos 1:17 nos diz basicamente que podemos avançar de fé em fé. Passei muitos anos indo da fé à dúvida, da dúvida à incredulidade e depois de volta à fé. Perdi um tempo precioso até me tornar constante na minha caminhada de fé. Desde então, tenho tentado exercer minha confiança em todas as situações. Aprendi que quando perco a minha confiança, deixo uma porta aberta para o diabo.

Durante esses momentos em que Satanás atacava o meu nível de confiança enquanto eu ministrava a Palavra, comecei a perceber que se não me levantasse rapidamente contra esses ataques, as coisas iriam de mal a pior. Aprendi que a partir do momento em que eu lançava as bases de apoio para o diabo, ele geralmente criava ali uma fortaleza. Se eu permitisse que ele roubasse a minha confiança, de repente eu não tinha fé para fazer nada nos cultos.

Eu ficava com medo com relação às ofertas. Eu pensava: *E se as pessoas ficarem ofendidas porque estou falando sobre dinheiro?* Eu ficava com medo de anunciar minhas mensagens gravadas. Pensava: *As pessoas não gostam que eu fale sobre essas gravações!* Enquanto ensinava a Palavra, eu pensava todo tipo de coisas negativas que provocavam medo em mim, coisas do tipo: *Esta mensagem não faz sentido, estou entediando a todos. Esta não é a mensagem certa para esta noite; eu deveria ter pregado outra coisa.*

Durante esses ataques demoníacos que tinham acesso à minha mente através da minha falta de confiança, se alguém se levantasse e saísse, eu tinha certeza de que era por minha causa.

Lembro-me de um caso que ocorreu na cidade de Oklahoma. Uma mulher que estava sentada na segunda fileira se levantou e saiu cerca de cinco minutos depois de eu ter começado a pregar. Imediatamente me senti insegura e Satanás começou a abalar a minha confiança. Fiquei incomodada durante todo o culto. Comentei com Dave sobre isso mais tarde naquela noite, e ele disse: "Ah, me esqueci de lhe dizer, aquela mulher disse que precisava ir trabalhar, mas ela ama você tanto que decidiu que se pudesse estar ali apenas durante o louvor e para ouvir ainda que fossem cinco minutos do seu ensino, valeria a pena."

Podemos ver imediatamente neste exemplo como Satanás trabalha para nos enganar. Se o nível da minha confiança fosse constante e forte, eu teria pensado positivamente em vez de negativamente naquela situação.

Deus me disse que acima de tudo devo ser constante no que diz respeito à confiança. Quando perco a minha confiança, dou lugar ao diabo.

O mesmo princípio se aplica a você.

Seja confiante acerca dos seus dons, do seu chamado e da sua capacidade em Cristo. Creia que você ouve a voz de Deus e que você é guiado pelo Espírito Santo. Tenha confiança no fato de que as pessoas gostam de você, e você descobrirá que mais pessoas gostam de você. Seja ousado no Senhor. Veja a si mesmo como um vencedor em Deus!

MAIS QUE VENCEDORES

Em meio a todas estas coisas, porém, somos mais que vencedores, e adquirimos uma vitória inigualável por meio daquele que nos amou.
Romanos 8:37

Precisamos ter senso de triunfo. Em Romanos 8:37, Paulo nos garante que através de Cristo Jesus somos mais que vencedores. Crer nessa verdade nos dá confiança.

Certa vez ouvi que uma mulher é mais que vencedora quando seu marido sai, trabalha durante a semana inteira e traz o seu salário para casa e o entrega a ela. Não concordo com isso, na verdade, Deus falou comigo e disse: "Você é mais que vencedora quando sabe que já tem a vitória antes mesmo de ter um problema."

Às vezes a nossa confiança é abalada quando as provações vêm, principalmente se elas forem prolongadas. Deveríamos ter tanta confiança no amor de Deus por nós que, independentemente do que se levantasse contra nós, saberíamos no nosso interior que somos mais que vencedores. Se formos realmente confiantes, não teremos necessidade de temer os problemas, os desafios ou os tempos de provação, porque sabemos que eles passarão.

Sempre que uma provação de qualquer espécie se levantar contra você, lembre-se de que *isso também passará!* Seja confiante no fato de que durante a provação você aprenderá algo que o ajudará no futuro.

Sem confiança somos sufocados a cada adversidade. Satanás lança uma bomba, e nossos sonhos são destruídos. Eventualmente começamos de novo, mas nunca fazemos muito progresso. Começamos e somos derrotados, começamos e somos derrotados, vez após vez. Mas aqueles que são constantes no que diz respeito à confiança, aqueles que sabem que são mais que vencedores por meio de Jesus Cristo, progridem rapidamente.

Precisamos dar um passo de fé e decidir ser confiantes em todas as coisas. Deus pode ter de nos corrigir ocasionalmente, mas isso é melhor do que ter medo de correr riscos e nunca fazer nada. As pessoas confiantes terminam o que começam — são os ministérios delas que estão fazendo a diferença no mundo hoje. São pessoas realizadas porque estão tendo êxito em serem elas mesmas.

Deus tratou comigo sobre a confiança. Ele me disse certa vez: "Joyce, tenha confiança na sua vida de oração, tenha confiança de que você Me ouve. Tenha confiança de que você está andando dentro da Minha vontade. Tenha confiança de que você está pregando a mensagem certa. Tenha confiança quando você fala uma palavra oportuna para alguém que precisa ouvi-la." Ele continua a me convencer da importância de ser confiante nele.

Agora estou lhe mostrando a importância de ser confiante. Tome a decisão de que duvidar de si mesmo é coisa do passado.

O TORMENTO DE DUVIDAR DE SI MESMO

*Davi muito se angustiou, pois o povo falava de apedrejá-lo, porque todos estavam em amargura, cada um por causa de seus filhos e de suas filhas; porém Davi se reanimou e se fortaleceu no S*ENHOR*, seu Deus.*

1 Samuel 30:6

Se não acreditarmos em nós mesmos, quem o fará? Deus acredita em nós, e isso é bom também; do contrário, nunca faríamos progresso algum. Na nossa vida, não podemos esperar que outra pessoa venha e nos encoraje a sermos tudo o que podemos ser. Podemos ser abençoados o bastante para ter esse tipo de apoio, mas podemos não tê-lo.

Quando Davi e seus homens estavam em uma situação aparentemente desesperadora, pela qual os homens o culpavam, Davi se reanimou e se fortaleceu no Senhor. Mais tarde, aquela situação sofreu uma reviravolta total (1 Samuel 30:1-20).

Em uma ocasião anterior, quando Davi era apenas um menino, todos que o cercavam o desencorajaram dizendo que ele não era capaz de lutar contra Golias. Disseram que ele era jovem e inexperiente demais, que ele não tinha a armadura correta ou as armas corretas, que o gigante era grande demais e poderoso demais, e daí por diante. Davi, porém, confiava em Deus.

Na verdade, todas as coisas que as pessoas disseram eram verdade. Davi era jovem, inexperiente, não tinha armadura ou armas naturais, e Golias era definitivamente maior e mais poderoso do que ele. Mas Davi conhecia o seu Deus e tinha confiança nele. Ele acreditava que Deus seria forte na sua fraqueza e lhe daria a vitória. Ele saiu para lutar em nome do Senhor, com o coração cheio de confiança, e se tornou um matador de gigantes que acabou sendo coroado rei (1 Samuel 17).

Davi não tinha ninguém para acreditar nele, então ele acreditou em si mesmo. Ele acreditou na capacitação divina que havia dentro dele.

O Senhor me disse certa vez que se eu não acreditava em mim mesma, eu não acreditava de fato nele como deveria. Ele disse: "Eu estou em você, mas só posso fazer através de você aquilo que você acreditar."

Duvidar de si mesmo é um tormento absoluto. Vivi nele por muitos anos, e pessoalmente prefiro a confiança.

Você pode estar pensando: *Bem, Joyce, eu gostaria de ter confiança.*

A confiança é algo que decidimos ter. Primeiro aprendemos sobre Deus — sobre o Seu amor, os Seus caminhos e a Sua Palavra — e depois, finalmente, precisamos *decidir* se cremos ou não.

Se realmente cremos, então temos confiança. Se não cremos, vivemos com dúvidas acerca de tudo.

Duvidar de nós mesmos nos torna pessoas de mente vacilante, e Tiago 1:8 nos ensina que o homem "de mente vacilante é inconstante em todos os seus caminhos". Ele realmente não pode avançar até que decida crer em Deus e em si mesmo.

PARE DE SE SUBESTIMAR!

Graças, porém, a Deus, que, em Cristo, sempre nos conduz em triunfo...

2 Coríntios 2:14

Eu o encorajo a dar um grande passo de fé e *parar de duvidar de si mesmo*. Como diz o antigo ditado: "Não se subestime." Você tem mais capacidade do que imagina ter. Você pode fazer muito mais do que já fez no passado. Deus o ajudará, se você colocar a sua confiança nele e parar de duvidar de si mesmo.

Assim como todo mundo, você cometerá erros, mas Deus permitirá que você aprenda com eles e fará com que eles cooperem para o seu bem se você decidir não ser derrotado por cada erro que cometer. Quando a dúvida começar a atormentar a sua mente, comece a declarar a Palavra de Deus com a sua boca, e você vencerá a batalha.

6
LIVRE PARA DESENVOLVER O SEU POTENCIAL

> Vocês não sabem que em uma corrida todos os corredores competem, mas (somente) um recebe o prêmio? Portanto corram (a sua corrida) para que vocês possam tomar posse (do prêmio) e torná-lo seu.
>
> **1 CORÍNTIOS 9:24**

Quando somos confiantes e estamos livres dos medos que nos atormentam, podemos desenvolver o nosso potencial e ter êxito em ser tudo o que Deus pretende que sejamos. Mas não podemos desenvolver o nosso potencial se tememos o fracasso. Ficaremos com tanto medo de falhar ou de cometer erros que isso nos impedirá de avançar.

Recentemente conversei com um jovem de nossa equipe que tem um grande potencial, no entanto ele havia recusado duas promoções que oferecemos a ele. Eu sentia em meu espírito que ele era inseguro e que não estava ciente do quanto poderia realizar para o Reino de Deus se simplesmente desse um passo de fé e confiança. Suas inseguranças o haviam aprisionado. Ele fazia o seu trabalho de forma excelente e era elogiado por todos, mas tinha medo de aceitar qualquer promoção. Era mais fácil e mais confortável simplesmente permanecer na mesma posição.

Quando somos inseguros, frequentemente ficamos com o que é seguro e familiar em vez de nos arriscarmos a avançar e fracassar.

Eu sentia que, por causa do tipo de personalidade específico daquele jovem, ele não gostava de mudanças. Sua hesitação em aceitar responsabilidades maiores estava fazendo com que recusasse oportunidades de avançar. Ele disse que simplesmente achava que não estava pronto — e a verdade é que nunca estamos prontos. Mas quando Deus está pronto para se mover em nossa vida, precisamos acreditar que Ele nos equipará com o que precisamos no momento certo.

Não se trata de achar sinceramente que não estamos prontos para o próximo passo, mas presunçosamente nos sentirmos prontos quando, na verdade, não estamos. Esse, de fato, é o problema. O orgulho sempre causa entraves e nos leva ao fracasso no fim. Depender humildemente de Deus, por outro lado, nos leva ao sucesso. Creio que Deus nos chama para avançarmos quando não nos sentimos prontos para que tenhamos de depender completamente dele.

Conversei com o jovem e encorajei-o. Ele disse que sabia que eu estava certa e que queria começar a avançar. Disse também ter pedido a Deus um dia para fazer algo diferente e, no entanto, todas as vezes que alguém lhe oferecia alguma nova oportunidade de crescimento, ele sempre a recusava.

A insegurança, a falta de confiança em si mesmo e o medo podem nos impedir de atingir o nosso potencial pleno por completo. Mas se a nossa confiança está em Cristo e não em nós mesmos, somos livres para desenvolver o nosso potencial, porque estamos livres do medo do fracasso.

Como cristãos, o nosso trabalho número 1 é o desenvolvimento do nosso potencial pessoal. Uma das definições do dicionário *American Dictionary of the English Language Noah Webster* para a palavra *potencial* é "existir em possibilidade, não de fato".[1] A definição seguinte é da palavra *potencialidade*, descrita como "não decisivamente".[2]

Em outras palavras, onde há potencial, todos os requisitos necessários para o sucesso estão presentes, mas eles ainda não foram colocados em ação. Ainda é necessário algo que os impulsione, os mova e motive. Geralmente estão em forma embrionária — precisam ser desenvolvidos.

O potencial não pode se manifestar sem forma. Deve haver algo dentro do qual ele seja derramado, algo que o fará tomar forma e se tornar útil. Quando oferecemos àquele jovem uma promoção, estávamos oferecendo-lhe uma fôrma na qual poderia derramar o seu potencial. Jamais veríamos seu potencial tomar forma se ele não fizesse algo para exercitá-lo. Ele tinha potencial, mas esse potencial precisava ser desenvolvido.

Para desenvolver um projeto habitacional, o engenheiro faz uso de plantas de projeção, mas elas são apenas esboços guardados em seu escritório até que se concretizem na forma de casas. O que existe no espaço que separa o potencial de sua concretização? Creio que são três coisas: tempo, determinação e trabalho árduo!

É triste perceber a quantidade de potencial mal aproveitado e desperdiçado existente no mundo. Deus colocou uma parte de si mesmo em cada um de nós. Fomos criados à Sua imagem, e Ele é cheio de potencial — *com Deus nada é impossível* (Mateus 19:26, paráfrase minha).

Todos temos potencial e muitos de nós querem ver a sua concretização, mas frequentemente não estamos dispostos a esperar, a ser determinados e a trabalhar duro para desenvolvê-lo. Temos muita vontade, mas pouca *força de vontade*.

O desenvolvimento e a manifestação do potencial requerem uma fé firme, e não mero pensamento positivo.

Sonhos e visões se desenvolvem de uma maneira semelhante à maneira como um bebê se desenvolve no ventre de sua mãe. Certas coisas precisam ser feitas de determinado jeito ou a mulher grávida nunca dará à luz um bebê saudável. Ela precisa esperar que a gestação chegue a termo, pois um nascimento prematuro produzirá um bebê doente. Ela também deve estar plenamente determinada e disposta a trabalhar duro para dar à luz aquele ser que está dentro dela. Qualquer mulher que já passou por isso e se lembra do trabalho de parto pode dizer "sim" e "amém" a esse fato.

NÃO FAÇA PLANOS PEQUENOS!

A verdadeira riqueza se consegue com sabedoria e bom senso; conhecer e entender a vida é a melhor maneira de acumular muitas riquezas e dar a sua família tudo de que ela necessita.

Provérbios 24:3-4, ABV

Espero que você tenha um sonho ou uma visão em seu coração envolvendo algo maior do que o que você tem agora. Efésios 3:20 nos diz que Deus é poderoso para fazer infinitamente mais e além de tudo o que podemos esperar, pedir ou pensar. Se não estamos pensando, esperando ou pedindo nada, estamos enganando a nós mesmos. Precisamos pensar em grandes coisas, esperar grandes coisas e pedir grandes coisas.

Sempre digo que é preferível pedir muito a Deus e receber a metade disso, do que pedir pouco e receber tudo o que foi pedido. Entretanto, falta sabedoria àquele que apenas pensa, sonha e pede grande, mas não entende que uma vida bem-sucedida é construída por meio de um planejamento sensato.

Os sonhos para o futuro são possibilidades, mas não são definitivos. Em outras palavras, eles são possíveis, mas não ocorrerão de forma definitiva se não fizermos a nossa parte.

Quando vemos um atleta de vinte anos que é medalhista de ouro nas Olimpíadas, sabemos que ele passou muitos anos praticando enquanto os outros estavam brincando. Ele pode não ter se "divertido" como seus amigos, mas desenvolveu o seu potencial. Agora ele tem algo que lhe dará alegria pelo resto da vida.

Muitas pessoas utilizam o método do "jeitinho" para tudo. Elas só querem o que faz com que se sintam bem no "agora". Elas não estão dispostas a investir no futuro.

Não entre na corrida apenas para se divertir — *corra para vencer!* (1 Coríntios 9:24-25.)

Há uma mina de ouro escondida em cada vida, mas temos de cavar para alcançá-la. Precisamos estar dispostos a cavar fundo e a ir além do que sentimos ou do que é conveniente. Se cavarmos, indo a fundo no espírito, encontraremos uma força que jamais imaginamos ter.

Quando Deus me chamou para o ministério, eu queria cumprir o Seu chamado mais do que qualquer coisa. Eu nem sequer sabia por onde começar, e muito menos como terminar a tarefa. À medida que Deus me deu ideias ungidas e me abriu portas de oportunidade para o serviço, eu avancei com fé. A cada momento Ele me enchia com a força, a sabedoria e a habilidade necessárias para ter êxito. Eu tinha dentro de mim reservas que nem sequer sabia existirem, mas Deus já sabia o que havia colocado em mim há muito tempo.

Frequentemente olhamos para uma tarefa e pensamos não haver meios para fazermos o que precisa ser feito. Isso acontece porque olhamos para nós mesmos quando deveríamos olhar para Deus.

Quando o Senhor chamou Josué para assumir o lugar de Moisés e conduzir os israelitas à Terra Prometida, Ele lhe disse: "Como fui com Moisés, assim serei contigo; não te deixarei, nem te desampararei" (Josué 1:5).

Se Deus promete estar conosco — e Ele o faz —, isso é realmente tudo de que precisamos. O poder de Deus se aperfeiçoa na nossa fraqueza (ver 2 Coríntios 12:9). Sejam quais forem os ingredientes que faltam ao nosso homem natural, Ele os acrescenta ao homem espiritual. Podemos extrair o que precisamos do espírito.

ACESSE A FORÇA DO SENHOR

> *...sejam fortes no Senhor [recebam poder através da sua união com Ele]; extraiam a sua força Dele [aquela força dada pelo Seu ilimitado poder].*
>
> Efésios 6:10

Nessa passagem, Paulo nos garante que o Espírito Santo derramará força no nosso espírito humano à medida que tivermos comunhão com Ele.

Depois, em Efésios 3:16, Paulo ora ao Senhor por nós: "Que Ele lhes conceda que do rico tesouro da Sua glória, vocês sejam fortalecidos e reforçados com grande poder no seu homem interior pelo Espírito [Santo], [o qual habita no seu ser e na sua personalidade interior]."

Em Isaías 40:31, o profeta nos diz que "... os que esperam no Senhor renovam as suas forças, sobem com asas como águias, correm e não se cansam, caminham e não se fatigam".

Quando olhamos para esses e outros versículos, fica bastante óbvio que somos fortalecidos à medida que nos achegamos a Deus para pedir o que nos falta. Quando iniciei no ministério, eu tinha potencial, mas tive de trabalhar com o que eu tinha por muito tempo. Deus me ajudou, e pouco a pouco avancei em direção ao lugar onde estou hoje. Claro que nem sempre foi fácil. Houve muitas e muitas vezes em que pensei simplesmente não poder continuar — a responsabilidade parecia ser maior do que eu podia suportar. Afinal, também sou esposa e mãe de quatro filhos maravilhosos. Mas eu era motivada pelo desejo de ser tudo o que eu podia ser.

Ao longo da minha vida, muitas pessoas me disseram que eu nunca seria nada, então estava determinada a não sucumbir às profecias negativas dessas pessoas. Deus havia me dito que eu tinha potencial e um futuro, e que se eu confiasse nele, trabalhasse duro e me recusasse a desistir, Ele me faria cruzar a linha de chegada.

A maioria das coisas que realmente vale a pena fazer nunca é fácil — não fomos cheios com o Espírito de Deus para fazer coisas fáceis. Ele nos enche com o Seu Espírito a fim de que possamos fazer coisas impossíveis!

Se você quer desenvolver o seu potencial e ter sucesso em ser tudo o que pode ser, *mantenha os seus olhos no prêmio e siga em frente!* Nem tudo será fácil, mas valerá a pena.

Não tenho palavras para dizer a você o quanto sou grata hoje por não ter desistido em algum ponto do caminho. Teria sido fácil dar desculpas e desistir, mas eu estaria sentada em algum lugar agora, totalmente infeliz e sem realizações, provavelmente me perguntando por que a vida tinha de ser tão injusta comigo.

A maioria daqueles que culpam a tudo e a todos pelos seus fracassos tinha potencial dentro de si, mas ou não souberam como desenvolvê-lo ou não estavam dispostos a atender às exigências envolvidas nesse processo.

Quando as coisas não dão certo em nossa vida não é culpa de Deus. Ele tem um grande plano para cada um de nós. Não devemos culpar as circunstâncias, porque elas podem ser superadas com fé e determinação. Não são as outras pessoas que são o problema, porque Romanos 8:31 diz: "Se Deus é por nós, quem pode ser contra nós?" Embora as pessoas se levantem contra nós e Satanás realmente as use para nos impedir e nos atormentar, elas não podem prevalecer. Se Deus está do nosso lado, simplesmente não importa quem se levante contra nós; eles não são mais poderosos do que Deus.

A verdade é que quando as coisas dão errado e temos a sensação de estarmos sentados na beira da estrada apenas vendo a vida passar enquanto todos os demais estão tendo sucesso, é porque não obedecemos a Deus, não avançamos e não nos dispomos a dar passos gigantescos de fé. Não estávamos dispostos a parecer tolos, a ser julgados e criticados, a deixar que riam de nós, a ser rejeitados e rotulados como radicais que precisam se acalmar e simplesmente "ir com a maré".

O mundo quer que nos *conformemos*, mas o Senhor quer que nos *transformemos*, se fizermos as coisas do jeito dele. Ele nos tomará e nos transformará em algo maior do que tudo aquilo que já sonhamos — se nos recusarmos a desistir e simplesmente continuarmos correndo a corrida que nos é proposta.

CORRENDO A CORRIDA

> *...desembaracemo-nos e deixemos de lado todo obstáculo (peso desnecessário) e aquele pecado que tão prontamente (habilmente e inteligentemente) nos prende e nos embaraça, e corramos com resistência paciente o percurso da corrida indicada que nos é proposta.*
>
> Hebreus 12:1

Quando o escritor da carta aos hebreus disse a eles para *se desembaraçarem e deixarem de lado todo obstáculo*, ele estava pensando nos corredores de sua época, que entravam em uma corrida dispostos a vencer. Eles literalmente se despiam de suas roupas ficando com uma simples tanga. Eles se certificavam de que não houvesse nada que pudesse embaraçá-los e impedir que eles corressem o mais rápido possível. Eles estavam correndo para vencer! Algumas pessoas correm, mas não para vencer — elas apenas querem se divertir participando da corrida.

Para desenvolver o nosso potencial e ter sucesso em nos tornarmos o que Deus pretende que sejamos, teremos de deixar de lado outras coisas. Para sermos vencedores na vida precisamos fazer coisas que deem suporte aos nossos objetivos e nos ajudem a cumprir o nosso propósito. Precisamos aprender a dizer "não" a pessoas bem-intencionadas que querem nos envolver em situações intermináveis, as quais, no fim das contas, roubam o nosso tempo e não geram frutos.

O apóstolo Paulo estava atento ao desenvolvimento do seu potencial. Ele se imaginava em uma corrida, levando ao limite cada nervo e músculo e empregando toda a sua força, como um corredor com as veias saltadas, para não deixar de atingir o objetivo.

Devemos nos posicionar e entrar em concordância com Deus de que seremos excelentes, e não medíocres. Precisamos fazer uma avaliação da nossa vida e podar qualquer coisa que nos embarace ou simplesmente roube o nosso tempo. Precisamos ser determinados, trabalhar duro e nos recusar a desistir — extraindo força de Deus, e não dependendo de nós mesmos. Se fizermos essas coisas com persistência, no fim teremos vitória. Mas se estivermos na corrida apenas para nos divertirmos, não ganharemos o prêmio.

Hebreus 12:1 nos diz para nos despirmos e deixarmos de lado todo obstáculo e o *pecado* que nos embaraça. É praticamente impossível ser bem-sucedido espiritualmente quando pecamos de forma voluntária e consciente. Não quero dizer que precisamos ser totalmente perfeitos para que Deus nos use, mas estou dizendo que precisamos estar determinados a manter o pecado fora de nossa vida. Quando Deus diz que alguma coisa é errada, então ela realmente é errada. Não precisamos discutir, teorizar, culpar, dar desculpas ou sentir pena de nós mesmos — precisamos concordar com Deus, pedir perdão e trabalhar com o Espírito Santo para tirar aquilo de nossa vida para sempre.

Temo que as igrejas dos nossos dias não estejam nem de longe preocupadas com a santidade. As pessoas geralmente não ficam animadas quando pregamos sobre isso, e percebi que elas não compram muitos livros sobre o assunto. Uma nova série de mensagens sobre o tema do sucesso vende bem, mas santidade e crucificação da carne não são mensagens tão populares, pelo menos para algumas pessoas. Porém, graças a Deus, há um remanescente, aqueles poucos e raros indivíduos que não estão apenas em busca de "diversão", mas que pretendem glorificar a Deus com sua vida sendo tudo o que Ele pretende que eles sejam.

SEJA MODERADO EM TODAS AS COISAS

Vocês não sabem que em uma corrida todos os corredores competem, mas [só] um recebe o prêmio? Portanto corram [a sua corrida] para que vocês possam tomar posse [do prêmio] e torná-lo seu.

Todo atleta que treina se conduz com moderação e se domina em todas as coisas. Eles fazem isso para ganhar uma coroa que logo murchará, mas nós [fazemos isso para receber uma coroa de bênção eterna] uma que não pode murchar.

Portanto, não corro de maneira incerta (sem alvo definido). Não luto como quem esmurra o ar e golpeia sem ter um adversário.

Mas [como um boxeador] esmurro o meu corpo [trato-o com dureza, disciplino-o por meio das dificuldades] e o submeto, por medo de que depois de ter proclamado a outros o Evangelho e as coisas referentes a ele, eu mesmo venha a me tornar inapto [não passe no teste, seja reprovado e rejeitado como uma fraude].

1 Coríntios 9:24-27

Aqueles de nós que pretendem correr a corrida para vencer precisam se conduzir com moderação e se dominar em tudo. Não podemos esperar que outra pessoa nos leve a fazer o que é certo. Precisamos ouvir o Espírito Santo e nos posicionar por conta própria.

Paulo disse que ele esmurrava o próprio corpo. Ele queria dizer que o disciplinava porque não queria pregar a outros, dizendo-lhes o que eles deviam fazer, e depois deixar de fazer isso ele mesmo. Paulo estava correndo a corrida para vencer! Ele sabia que não podia desenvolver o seu potencial sem colocar o seu corpo, a sua mente e as suas emoções debaixo do controle de seu espírito.

A autodisciplina é a característica mais importante na vida de qualquer pessoa, principalmente na vida do cristão. Se não disciplinarmos a nossa mente, a nossa boca e as nossas emoções, viveremos em ruína. Se não aprendermos a dominar o nosso temperamento, jamais poderemos atingir o sucesso que nos pertence por direito.

Medite nas seguintes passagens bíblicas:

> *Aquele que cedo se ira e cuja **paixão** se acende depressa age loucamente...*
> Provérbios 14:17, grifo meu

> *O que é lento para irar-se é melhor que os poderosos, aquele que governa o seu [próprio] espírito é melhor do que o que toma uma cidade.*
> Provérbios 16:32

> *Não seja o seu espírito rápido para se irar ou se irritar, pois a ira e a irritação habitam no seio dos tolos.*
> Eclesiastes 7:9

> *Seja todo homem... tardio... para se irar. Pois a ira do homem não promove a justiça que Deus deseja e requer.*
> Tiago 1:19-20

A afirmação de que a ira do homem não promove a justiça que Deus deseja ou requer significa que irar-se não é a maneira correta de o homem se comportar; isso não trará a coisa certa à sua vida.

Em parte, a justiça que Deus deseja e quer para nós é o desenvolvimento do potencial pessoal. Pessoas iradas estão ocupadas demais ficando iradas e por isso não têm êxito em ser o melhor que elas podem ser.

Se realmente temos a intenção de correr a corrida para vencer, precisamos resistir às emoções negativas. Existem muitas emoções negativas além da ira, e certamente devemos saber quais são elas e estar prontos para exercer autoridade e assumir o controle sobre elas assim que levantarem suas cabeças ameaçadoras. A seguir está uma lista parcial de emoções negativas com as quais devemos tomar cuidado:

Ira
Amargura
Depressão
Desespero
Desânimo
Inveja
Ganância
Ódio
Impaciência
Ciúmes
Preguiça
Luxúria
Ofensa
Orgulho
Ressentimento
Tristeza
Autocomiseração
Falta de perdão

"CORRAMOS COM PACIÊNCIA"

> ... *corramos com paciência a carreira que nos está proposta.*
> Hebreus 12:1, ACF

A passagem de Hebreus 12:1 na versão Almeida Corrigida Fiel não apenas nos encoraja a correr, como também a correr com paciência. Não podemos chegar ao resultado final sem paciência. Para ilustrar esse princípio, compartilho uma história extraída de artigos que foram publicados pelo jornal *Houston Chronicle*, em 1997:

A gelatina Jell-O completa 100 anos este ano e a história que cerca seu inventor é realmente irônica. Em 1897, Pearl Wait usava diversos chapéus. Ele era operário na área de construção e se interessava por remédios alternativos, vendendo seus remédios para dor de porta em porta. Em meio ao seu trabalho, ele teve a ideia de misturar sabores de frutas com gelatina granulada. Sua esposa deu a essa mistura o nome de "Jell-O", e assim Wait tinha mais um produto para vender.

Infelizmente, as vendas não foram tão bem quanto ele esperava, de modo que em 1899, Pearl Wait vendeu os direitos da Jell-O a Orator Woodward por 450 dólares. Woodward conhecia o valor do marketing, e dentro de apenas oito breves anos, o vizinho de Wait transformou um investimento de 450 dólares em um negócio de um milhão de dólares. Hoje, nem um único parente de Pearl Wait recebe royalties das mais de um milhão de caixas de Jell-O que são vendidas todos os dias. Por quê? Porque Wait simplesmente não conseguiu esperar![3]

Essa postura impaciente é uma das principais razões pelas quais muitas pessoas nunca atingem o seu potencial pleno. Você deve se lembrar de que eu disse anteriormente que o tempo é uma das coisas que precisam estar entre o potencial e a concretização desejada. Pearl White desejava a concretização do sonho de ficar rico com a sua invenção, mas a impaciência impediu que ele desfrutasse seu potencial pleno.

A PACIÊNCIA GERA PERFEIÇÃO

Meus irmãos, considerem motivo de alegria quando vocês passarem por diversas provações, sabendo que a prova da sua fé produz paciência.

Mas que a paciência tenha a sua obra perfeita, para que vocês possam ser perfeitos e completos, sem que lhes falte nada.

Tiago 1:2-4

Essa passagem nos diz que quando a paciência tiver aperfeiçoado a sua obra, seremos perfeitos (totalmente desenvolvidos) e completos, sem que nos falte nada. Ela também fala sobre provações de toda espécie — e é durante essas provações que somos instruídos a ser pacientes.

Como observei em meu livro *Campo de Batalha da Mente*, "a paciência não é a capacidade de esperar, é a capacidade de manter uma atitude positiva enquanto esperamos".[4]

A paciência é um fruto do Espírito que se manifesta por meio de uma atitude calma e positiva. A impaciência é permeada por emoções negativas e é uma das ferramentas de Satanás usadas para nos impedir de chegar à plenitude e à integridade.

Hebreus 10:36 nos diz que precisamos de paciência a fim de que "possamos fazer e realizar **plenamente** a vontade de Deus" (grifo meu).

Perguntei ao Senhor, "Quando, Deus, quando?", milhares de vezes, até que finalmente percebi que, de acordo com o Salmo 31:15, o meu tempo está nas mãos dele. Deus sabe o tempo exato e certo para tudo, nossa impaciência não irá apressá-lo em nada.

ESPERE PELO TEMPO PERFEITO DE DEUS

E não nos cansemos de fazer o bem, porque no tempo certo ceifaremos, se não desfalecermos.

Gálatas 6:9

O "tempo certo" é o tempo de Deus, e não o nosso. Estamos com pressa, Deus não. Ele dá tempo ao tempo para fazer as coisas certas — Ele estabelece um fundamento sólido antes de tentar construir um prédio. Somos o prédio de Deus em construção. Ele é o Construtor-Chefe, e Ele sabe o que está fazendo. Podemos não saber o que Deus está fazendo, mas Ele sabe, e isso tem de ser suficiente para nós. Talvez nem sempre saibamos, mas podemos ficar satisfeitos em conhecer Aquele que sabe.

O tempo de Deus parece ser um segredo só dele. A Bíblia nos promete que Ele nunca se atrasa, mas também descobri que Ele também não se adianta. Parece que Deus usa cada oportunidade disponível para desenvolver o fruto da paciência em nós.

O dicionário *Vine* de palavras em grego inicia a definição de *perseverança* (em Tiago 1:3) como "a paciência que cresce somente na provação".[5] A perseverança é um fruto do Espírito que cresce durante a provação.

Sou por natureza muito impaciente. Tornei-me muito mais paciente ao longo dos anos, mas toda a espera necessária para me ensinar a ser paciente foi difícil para mim. Eu queria tudo *na hora!*

Finalmente descobri que podemos cair sobre a Pedra (Jesus) e ser quebrados, ou a Pedra cairá sobre nós e nos quebrará (Mateus 21:44)! Em outras palavras, podemos cooperar com o Espírito Santo e não resistir à obra que Deus está fazendo em nós, ou podemos nos recusar a cooperar voluntariamente e, no devido tempo, Deus terá de lidar conosco com mais dureza do que Ele gostaria. No fim das contas, as coisas ainda cooperarão para o nosso bem, mas é sempre melhor desistir de alguma coisa do que vê-la ser tirada de nós.

Eu precisava entregar minha vontade à vontade de Deus. Precisava me colocar em Suas mãos e confiar no tempo dele. Parece fácil, mas não foi, pelo menos não para mim.

Sou grata porque o nosso temperamento natural pode passar a ser um "temperamento controlado pelo Espírito". O fruto do Espírito está em nós e está sendo desenvolvido juntamente com tudo o mais. Assim como o nosso potencial é desenvolvido, também o nosso caráter, juntamente com uma atitude semelhante à de Cristo. Tudo caminha em conjunto. Há várias coisas que precisam passar pela linha de chegada ao mesmo tempo para que ganhemos a corrida.

Desenvolver o seu potencial sem desenvolver o seu caráter não glorifica a Deus. Se nos tornássemos um enorme sucesso e, no entanto, fôssemos ásperos com as pessoas — isso não seria agradável ao Senhor. Portanto, se temos sucesso em uma área, Ele gentilmente, porém com firmeza, bloqueia o nosso progresso naquela área até que as outras a acompanhem.

Quando o crescimento do meu ministério começou a superar o meu crescimento espiritual, Deus em Sua graça bloqueou o progresso do meu crescimento ministerial. Naturalmente, não entendi o que estava acontecendo e fiquei bastante incomodada. Passava todo o tempo repreendendo demônios e tentando fazer o que eu pensava ser uma guerra espiritual. Estava certa de que Satanás estava fazendo oposição a mim, mas no fim descobri que era Deus. Eu estava indo na frente dele, e Ele estava pisando nos freios, quer eu gostasse disso ou não.

Não valorizamos nem gostamos de nada disso enquanto está acontecendo, mais tarde, porém, entendemos que teríamos gerado um caos terrível se as coisas tivessem sido feitas dentro do nosso cronograma, e não de acordo com o de Deus.

A paciência é vital para o desenvolvimento pleno do nosso potencial. Na verdade, nosso potencial só é desenvolvido à medida que a nossa paciência é desenvolvida. Esse é o jeito de Deus — não há outro. Então por que não se acalmar e apreciar a jornada?

Se não desenvolvermos o nosso potencial, ele não será desenvolvido, porque não há ninguém interessado em fazer isso além de nós mesmos. Ocasionalmente encontramos esses indivíduos raros que têm prazer em ajudar os outros a serem tudo o que eles podem ser — mas eles são raros! Meu marido Dave tem feito isso por mim, e sou muito grata a ele por me ajudar a ser tudo o que eu posso ser. Estou tendo sucesso em ser eu mesma, e desejo a mesma coisa para você.

Descubra o que você quer fazer e comece a treinar a si mesmo para isso. Seja irredutível na busca por atingir o seu pleno potencial.

Se você sabe que pode compor canções, então desenvolva o seu dom; organize a sua vida de maneira que você possa compor canções. Se você sabe que pode liderar o louvor, então pratique, aprenda música, cante com toda a sua mente e o seu coração e creia. Comece a liderar o louvor, ainda que no começo seja apenas você e seu gato, ou você e seus filhos. Se você sabe que tem talento para negócios e capacidade de fazer dinheiro, estude, ore, matricule-se em um curso, dê um passo de fé.

Seja qual for o seu dom e o seu chamado, confie-o ao Senhor e comece a *desenvolver o seu potencial*.

De alguma maneira devemos nos aperfeiçoar todos os dias. Devemos seguir em frente, esquecendo o que ficou para trás. Isso inclui os erros passados e as vitórias passadas. Até mesmo o fato de ficar presos à glória das vitórias passadas pode impedir que sejamos tudo o que Deus quer que sejamos no futuro.

Tome a decisão agora mesmo de *nunca ficar satisfeito em ser qualquer coisa menos do que tudo o que você pode ser.*

7
ENTENDA A DIFERENÇA ENTRE "SER" E "FAZER"

> Pois sustentamos que o homem é justificado e tornado justo pela fé, independente e distintamente separado das boas obras (obras da Lei). (A observância da Lei não tem nada a ver com a justificação.)
>
> **ROMANOS 3:28**

Se realmente desejamos ter *sucesso em sermos nós mesmos*, é absolutamente necessário que tenhamos uma compreensão completa do que nos justifica e nos torna justos diante de Deus. Como vimos em Efésios 2:8-9, somos justificados somente pela fé em Cristo, e não pelas nossas obras.

Se tivermos uma *fé real*, faremos boas obras, mas a nossa dependência não estará nelas. Nossas obras serão feitas como um ato de amor a Deus — em obediência a Ele —, e não como uma "obra da carne", pela qual esperamos aprovação e aceitação diante de Deus.

A maioria das pessoas da nossa sociedade gasta uma parte considerável de sua vida, e talvez até a vida inteira, se sentindo mal acerca de si mesma. O mundo parece o tempo todo nos dizer que o nosso valor está ligado ao que "fazemos". Dizemos uns aos outros coisas do tipo: "O que você está *fazendo*?" e "O que você *faz* para ganhar a vida?" Satanás quer que estejamos mais interessados no que fazemos do que em quem somos como indivíduos. Esse tipo de mentalidade está arraigado profundamente na nossa maneira de pensar e não é arrancado com facilidade.

Enquanto éramos crianças em fase de crescimento, os membros da nossa família comparavam o nosso desempenho com o desempenho de outras crianças. E éramos questionados com relação ao motivo pelo qual não estávamos agindo tão bem quanto nosso primo, quanto ao filho da vizinha ou quanto um de nossos irmãos. Sentíamos que estávamos fazendo o melhor possível e que não tínhamos respostas para aquelas cobranças, mas decidimos que iríamos *tentar com mais afinco*. E fizemos isso. Tentamos e tentamos sem parar, mas tudo parecia ser em vão. Por mais que tentássemos, parecia que alguém ainda não estava satisfeito. Continuavam a nos dizer que havia algo errado conosco. Pensávamos que se pudéssemos fazer algo importante, então seríamos aceitos por Deus e pelos outros.

Essa teoria só deixa as pessoas esgotadas, exaustas, confusas e em alguns casos mentalmente doentes. Acredito definitivamente que não saber quem são é o que leva milhões de pessoas a terapeutas, conselheiros, psiquiatras e psicólogos. As pessoas querem falar com alguém que as entenda, alguém que não as faça sentirem-se culpadas. Elas não receberam afirmação de seus pais ou de seus irmãos, e o resultado é que se sentem profundamente imperfeitas. Pensam que têm algum tipo de problema mental, social ou psicológico quando, na verdade, o que elas precisam é de amor e de aceitação incondicionais.

Você e eu podemos ter um comportamento errado, mas isso não será transformado até que sejamos aceitos e amados independentemente do que fazemos.

Jesus oferece ao mundo o que ele está procurando, mas Satanás tem mantido esse segredo bem escondido. Além disso, em muitos casos a Igreja valoriza as regras e os regulamentos em vez de evidenciar o relacionamento pessoal com o Pai por intermédio de Seu Filho, Jesus Cristo.

ALGUÉM QUE COMPREENDE

Porque não temos um sumo sacerdote que não seja capaz de entender e compadecer-se, e compartilhar das nossas fraquezas, enfermidades e disposição aos ataques da tentação, mas Um que foi tentado em todos os aspectos como nós somos, mas sem pecar.

Aproximemo-nos então destemidamente, confiantemente e com ousadia ao trono da graça (o trono do favor imerecido de Deus por nós pecadores), para que possamos receber misericórdia [pelas nossas falhas] e encontrar graça para nos socorrer em tempo oportuno para todas as necessidades [ajuda apropriada e ajuda oportuna, que vem exatamente quando precisamos dela].

Hebreus 4:15-16

Existem diversas palavras-chave nesses dois versículos que não devemos ignorar: entender, graça, favor, receber e misericórdia. Todas elas são palavras que representam Deus dando a nós o que não merecemos, simplesmente porque Ele é bom. Entre essas palavras, uma das mais importantes é *entender*.

Nessa passagem, vemos que Jesus nos entende.

Não tenho palavras para lhe dizer o quanto foi consolador quando eu soube que *Jesus me entende!*

Jesus nos entende quando ninguém mais consegue entender. Ele nos entende até quando não entendemos a nós mesmos. Ele conhece "o porquê por trás do o quê". Deixe-me explicar o que quero dizer com essa afirmação.

As pessoas só veem o que fazemos, e elas querem saber por que não estamos nos saindo melhor, ou simplesmente por que estamos fazendo aquilo. Jesus sabe por que nos comportamos de determinada maneira. Ele nos olha e se lembra de todas as feridas e dores emocionais que sofremos no passado. Ele sabe para quê fomos criados. Ele conhece o temperamento que nos foi dado no ventre de nossas mães. Ele conhece e entende as nossas fraquezas (aquelas que todos nós temos). Ele sabe e conhece tudo sobre cada medo, insegurança, dúvida e cada pensamento equivocado que temos acerca de nós mesmos.

Quando damos início a um relacionamento pessoal com Cristo nascendo de novo — aceitando Cristo como Salvador e Senhor —, Ele inicia um processo de restauração em nossa vida que não estará totalmente terminado até que deixemos esta Terra. Uma por uma, Jesus nos devolve cada coisa que Satanás roubou de nós.

Precisamos resistir com determinação às atitudes legalistas que prevalecem na nossa sociedade. O legalismo envolve "fazer"; ele não tem a ver com "ser".

Precisamos entender a diferença entre "ser" e "fazer".

Jesus nos entende, Ele nos ama incondicionalmente e está comprometido em trabalhar conosco por intermédio do Espírito Santo — e Ele não nos condena enquanto está fazendo isso.

O mundo exige que mudemos. Ele nos diz insistentemente que alguma coisa está errada conosco se não pudermos fazer o que se espera de nós. Mas o fato é que, sozinhos, jamais conseguiremos fazer tudo o que se espera de nós. A nossa única esperança está em quem somos em Cristo.

"EM CRISTO"

*Pois **Nele** vivemos, nos movemos e existimos...*

Atos 17:28, grifo meu

As expressões "em Cristo", "Nele" ou "em Quem", que estão ao longo de muitos livros do Novo Testamento, são importantes e cruciais. Se elas não forem entendidas, jamais teremos uma percepção adequada com relação ao nosso "ser" e ficaremos frustrados enquanto passamos a vida tentando melhorar o nosso "fazer".

Quando recebemos Cristo como Salvador, passamos a ser vistos como estando "Nele". Nós recebemos como herança aquilo que Ele conquistou e merece. Olhar para o nosso relacionamento com os nossos filhos naturais pode nos ajudar a compreender essa questão.

Tenho quatro filhos que originalmente estavam "em mim". Ora, muito de sua aparência e personalidade é resultado do fato de eles terem iniciado suas vidas "em mim". Eles receberam da minha constituição física, da minha natureza, do meu temperamento, e assim por diante. Agora que eles são crescidos, são livres para seguirem em frente "fazendo" coisas que me farão ter orgulho deles — mas nunca se deve esquecer que eles começaram "em mim". Esse relacionamento durará para sempre.

O relacionamento com Jesus é mencionado em João 3:3 como "nascer de novo". Nicodemos perguntou a Jesus: "Como pode um homem entrar novamente no ventre de sua mãe?" (v. 4) Ele não compreendeu que Jesus falava de um nascimento espiritual, um nascimento pelo qual somos retirados de uma maneira mundana de viver e colocados "dentro de Cristo", e recebemos uma nova maneira de pensar, falar e agir.

Precisamos saber quem somos em Cristo. Esse é o nosso começo, o lugar de onde iniciamos a nova vida. Sem um entendimento profundo dessa verdade, ficaremos perambulando pela vida e até mesmo dentro do Cristianismo, acreditando na mentira de que Deus nos aceita ou não com base no nosso desempenho.

A verdade é que a nossa aceitação por Deus está fundamentada no desempenho de Jesus, e não no nosso. Quando Jesus morreu na cruz, nós morremos com Ele. Quando Ele foi sepultado, fomos sepultados com Ele. Quando Ele ressuscitou, ressuscitamos com Ele. Essa é a maneira pela qual Deus escolhe ver todos nós que sinceramente cremos em Jesus como o nosso sacrifício substitutivo e como o pagamento por todos os nossos pecados.

"NELE E ATRAVÉS DELE"

*Cristo, Aquele que não conheceu pecado, Ele o fez [verdadeiramente] pecado por nós, para que **Nele e através Dele** pudéssemos ser [dotados da justiça de Deus, ser vistos como estando nesta justiça e ser exemplos da] justiça de Deus [o que fomos feitos para ser, aprovados e aceitos em um relacionamento correto com Ele, pela Sua bondade].*

2 Coríntios 5:21, grifo meu

Deus escolhe nos ver como "justos" porque Ele assim o deseja. Efésios 1:4-5 nos ensina que Deus escolheu nos amar e nos ver como inculpáveis porque assim o quis, por isso agradou a Ele:

Assim como [no Seu amor] Ele nos escolheu [na verdade nos selecionou para si como propriedade Sua] **em Cristo** *antes da fundação do mundo, para sermos santos e irrepreensíveis aos Seus olhos, e mesmo acima de qualquer acusação, perante Ele em amor.*
Pois Ele nos predestinou (nos destinou, planejou em amor por nós) para sermos adotados (revelados) como Seus próprios filhos **através de Jesus Cristo**, *de acordo com o propósito da Sua vontade [porque isso lhe agradou e foi a Sua bondosa intenção].*

Quando ensino sobre esse assunto, sempre penso no relacionamento entre meu marido e meu filho. Meu filho mais velho, David, é filho de um casamento anterior. Casei-me aos dezoito anos. Na minha infância, sofri abuso sexual, e o rapaz de dezenove anos com quem me casei não havia sido educado adequadamente. Ele era um sujeito do tipo que tem uma fala mansa e tira vantagem de tudo. Eu era insegura e estava desesperada por ser amada de verdade. Ele me disse que me amava, e como eu tinha medo de que ninguém nunca mais me quisesse, agarrei a oportunidade de me casar embora soubesse bem lá no íntimo que aquele casamento não daria certo. Meu jovem marido era infiel, e na maior parte do tempo não trabalhava. Depois de cinco anos de rejeição e sofrendo outras dores emocionais, divorciei-me dele. Desse casamento tivemos um filho, um filho a quem dei o nome do meu único irmão, David. Quando o menino tinha nove meses de idade, conheci Dave Meyer, que iria se tornar meu marido em um casamento de mais de trinta anos.

David foi adotado por Dave. Dave escolheu amar e aceitar David antes de David aceitá-lo, antes mesmo de ter um relacionamento com ele, ou antes mesmo que ele o conhecesse. Dave e eu tivemos um namoro rápido. Depois de cerca de cinco encontros, ele me pediu em casamento. Ele era um cristão nascido de novo, cheio do Espírito, que estava orando por uma esposa. Ele pediu a Deus para lhe dar alguém que precisasse de ajuda! Certamente Dave teve suas orações respondidas quando me encontrou. Ele estava sendo guiado pelo Espírito de Deus ao nosso relacionamento. Dave diz que soube na primeira noite em que me viu que eu seria sua esposa. Ele gosta de desafios e pôde ver imediatamente que eu seria um dos grandes.

Na noite em que Dave pediu-me em casamento, perguntei a ele sobre meu filho. Eu não sabia como ele se sentia acerca de David. A resposta de Dave foi preciosa e retrata a maneira como Deus se sente acerca de nós. Ele disse: "Embora eu não conheça David muito bem, eu o amo porque amo você e tudo que faz parte de você."

Essa é a mesma maneira pela qual passamos a ter um relacionamento de amor com Deus, em que Ele nos aceita por causa da Sua bondade, e não da nossa. Ele aceitou Cristo e a Sua obra substitutiva na Cruz, e Ele nos aceita porque, na qualidade de crentes, estamos "em Cristo".

A seguir há uma lista parcial das coisas que agora são nossas em virtude de estarmos "em Cristo":

> *Bendito o Deus e Pai de nosso Senhor Jesus Cristo (o Messias), que nos tem abençoado* **em Cristo** *com toda sorte de bênção espiritual nas regiões celestiais!*
>
> Efésios 1:3, grifo meu

> *[Para que pudéssemos ser] para louvor e admiração da Sua gloriosa graça (favor e misericórdia), que Ele tão liberalmente nos concedeu* **no Amado***.*
>
> Efésios 1:6, grifo meu

> **Nele** *temos redenção (libertação e salvação) através do Seu sangue, a remissão (perdão) das nossas ofensas (deficiências e transgressões), de acordo com as riquezas e a generosidade do Seu gracioso favor.*
>
> Efésios 1:7, grifo meu

> **Nele** *também fomos feitos herança (porção) [de Deus] e obtivemos uma herança...*
>
> Efésios 1:11, grifo meu

Nele *vocês também ouviram a Palavra da Verdade, as boas novas (o Evangelho) da sua salvação e creram Nele, uniram-se a Ele e confiaram Nele, foram marcados com o selo do Espírito Santo há muito prometido.*

Efésios 1:13, grifo meu

*Mesmo quando estávamos mortos (destruídos) pelas nossas [próprias] imperfeições e transgressões, Ele nos deu vida juntos **em comunhão e em união com Cristo**; [Ele nos deu a vida do próprio Cristo, a mesma nova vida com a qual Ele o vivificou, pois] é pela graça (Seu favor e misericórdia que vocês não mereciam) que vocês são salvos (libertos do juízo e tornados participantes da salvação de Cristo).*

Efésios 2:5, grifo meu

*Porque **é através Dele** que nós, ambos, [quer estejamos distantes ou próximos] agora temos acesso (somos introduzidos) por um Espírito [Santo] ao Pai [para que possamos nos aproximar Dele].*

Efésios 2:18, grifo meu

***Nele**... vocês próprios estão sendo edificados...*

Efésios 2:22, grifo meu

*Tenham as raízes [do seu ser] firmemente e profundamente plantadas [**Nele**, fixas e fundamentadas **Nele**], sendo continuamente edificados **Nele**, tornando-se cada vez mais confirmados e estabelecidos na fé, assim como foram ensinados, e abundando e transbordando nisso com ações de graças.*

Colossenses 2:7, grifo meu

*E vocês estão **Nele**, estando aperfeiçoados e tendo chegado à plenitude da vida [**em Cristo** vocês também estão cheios da Divindade — Pai, Filho e Espírito Santo...]*

Colossenses 2:10, grifo meu

Essa é uma porção muito pequena das muitas passagens da Bíblia que fazem referência à nossa herança em Cristo, mas estou certa de que você conseguirá identificar a partir desses exemplos o quanto é importante ter um entendimento completo da diferença entre estar "em Cristo" e fazer obras para merecer o favor de Deus.

Na verdade, é impossível "merecer favor"; do contrário, não seria favor. Um favor é algo que alguém faz por nós por bondade, não porque merecemos.

RESTAURANDO A NOSSA DIGNIDADE E O NOSSO VALOR

Cuidado com esses cães [os judaizantes, os legalistas], cuidado com aqueles que causam danos, cuidado com aqueles que mutilam a carne.

Porque nós [cristãos] é que somos a verdadeira circuncisão, que adoramos a Deus em espírito e pelo Espírito de Deus e exultamos em glória e nos gloriamos em Jesus Cristo, e não colocamos a nossa confiança ou a nossa dependência [no que somos] na carne, nos privilégios exteriores e nas vantagens físicas nem nas aparências externas.

Filipenses 3:2-3

Essa passagem destrói qualquer motivo para acreditar que a nossa confiança pode estar em algo que fazemos ou fizemos. Ela nos diz claramente que a nossa confiança não pode estar "na carne", mas, em vez disso, deve estar "em Cristo Jesus". Ela também nos adverte a tomarmos cuidado com os legalistas.

É libertador finalmente perceber que o nosso valor e a nossa dignidade não se baseiam no que fazemos, mas em quem somos em Cristo. Deus nos atribuiu valor ao permitir que Jesus morresse por nós. Pelo próprio ato da morte de Cristo na Cruz e do sofrimento que Ele suportou, Deus Pai está dizendo a cada um de nós: "Você é muito valioso para Mim, e Eu pagarei qualquer preço para redimi-lo e garantir que você tenha a vida boa que eu planejei para você desde o princípio."

A partir do momento que você e eu passarmos a entender corretamente "quem somos", então e somente então poderemos começar a orar com eficácia sobre aquilo que "fazemos".

Talvez você diga: "Mas Joyce, não consigo acreditar que Deus não se importe com o que fazemos!"

Você está certo. Deus se importa com os nossos atos. Ele quer que eles sejam corretos. Na verdade, o Senhor almeja que cresçamos e nos tornemos cristãos maduros que agem como Jesus agiu quando andou aqui na terra. Deus quer que façamos boas obras — mas Ele não quer que dependamos delas para conseguirmos nada. Ele quer que façamos boas obras porque nós o amamos. Ele quer que as nossas boas obras sejam uma resposta ao que Ele fez por nós, para nós e em nós.

Quando eu soube quem era em Cristo, comecei a fazer boas obras pelas *razões certas.*

Muitas pessoas fazem boas obras pelos motivos errados, e não recebem qualquer recompensa por elas.

Os nossos motivos são da máxima importância para Deus. Lembro-me de ler a minha Bíblia diariamente, pensando em meu coração que Deus ficaria satisfeito ou impressionado se eu lesse grandes trechos da Bíblia todos os dias. Pelo fato de estar lendo com a motivação errada, a leitura era um fardo para mim e não uma alegria. Ler a Bíblia diariamente e me assegurar de que havia lido um trecho de determinado tamanho passou a ser uma lei para mim. Se não fizesse isso, eu me sentia culpada.

O Senhor me revelou um dia que eu estava lendo pelos motivos errados. Ele colocou este pensamento no meu coração: "Deus conhece a Bíblia. Eu não a estou lendo para Ele; eu a estou lendo para mim, para que eu possa saber o que Ele quer que eu faça e possa fazê-lo."

O Senhor me mostrou que ler um único versículo da Bíblia, mas realmente compreendê-lo, é melhor que ler dez capítulos e não nos lembrarmos de nada que lemos. Na nossa sociedade atual ficamos muito impressionados com a quantidade e não estamos suficientemente preocupados com a qualidade!

Eu ficava tão envolvida com o que eu devia "fazer", que me esquecia de simplesmente "ser". Somos chamados de *seres humanos* porque devemos ser; do contrário seríamos chamados de *fazedores humanos*.

Satanás costuma gritar nos nossos ouvidos: "O que você vai *fazer*?" "Você precisa *fazer* alguma coisa!" "É melhor você *fazer* alguma coisa!" Na verdade, ele está certo, há uma coisa que devemos fazer: crer! Devemos sempre crer.

O SEU "SER" CORRIGIRÁ O SEU "FAZER"

Deixem-me fazer-lhes esta única pergunta: Vocês receberam o Espírito [Santo] em resultado de obedecerem à Lei e de fazer as suas obras, ou foi por ouvirem [a mensagem do Evangelho] e crerem [nela]? [Foi por observarem uma lei de rituais ou através de uma mensagem de fé?]

Será que vocês são tão tolos, tão insensíveis e tão néscios? Tendo começado [a sua nova vida espiritual] com o Espírito Santo, vocês agora estão querendo atingir a perfeição [pela dependência] na carne? Será que vocês sofreram tantas coisas e experimentaram tanto para nada (sem propósito algum) — se na verdade foi tudo sem propósito e em vão?

Gálatas 3:2-4

Eu estava fazendo muitas coisas erradas e tinha muitas atitudes erradas. Precisava desesperadamente mudar, e queria mudar. *Eu estava tentando!* Mas nada funcionava. Sentia-me condenada o tempo todo. Eu me sentia um fracasso como cristã e tinha certeza de que todos eram muito melhores do que eu, então como Deus poderia me usar?

O meu foco não estava no lugar certo!

Eu ficava olhando para o que havia de errado comigo quando deveria estar desenvolvendo um relacionamento com o Senhor. Acho que eu pensava que Deus realmente não queria muita coisa comigo até que eu estivesse totalmente "endireitada". Eu sabia que havia sido salva por Ele, mas comunhão era outra coisa completamente diferente. Quando encontrava tempo para estar com Deus, passava a maior parte desse tempo dizendo-lhe o quanto eu era terrível e o quanto lamentava ser assim. Então eu prometia melhorar, mas nunca conseguia encontrar uma maneira de fazer isso.

Finalmente, eu entendi! Em Romanos 8:1, recebi uma revelação com relação à justiça que vem através de Cristo Jesus: "Portanto, agora nenhuma condenação há (nenhuma culpa a ser decretada por erro) para aqueles que estão em Cristo Jesus..." Achei isso ótimo, mas então vi o restante da passagem: "... que não vivem [e], não andam segundo os ditames da carne, mas segundo os ditames do Espírito." Agora eu estava de volta à estaca zero! É claro que se eu pudesse andar segundo o Espírito o tempo todo, não haveria condenação, mas eu não conseguia fazê-lo; então, como isso se aplicava a mim?

Então Deus me revelou algo: sim, se eu andar segundo o Espírito em vez de andar segundo a carne, não haverá condenação. Mas quando peco (o que todos nós fazemos), há uma maneira carnal de lidar com isso e uma "maneira espiritual". Eu estava lidando com o meu pecado da maneira carnal. Eu me tornava carnal e pecava — talvez perdendo a calma ou dizendo coisas que eu não deveria dizer — e então permanecia na carne tentando ser perdoada. Eu estava *fazendo* coisas para tentar compensar o que havia feito de errado em vez de aceitar o perdão como um presente gratuito. Quando recebi essa dádiva, passei a ser livre para fazer coisas boas porque estava embriagada com o amor e a misericórdia de Deus por mim, porque meu coração estava cheio de amor por Deus a ponto de transbordar de boas obras.

Meu problema era que eu queria mudar, mas a diferença entre "ser" e "fazer" não estava clara para mim. Eu estava tentando "fazer" para que o meu "ser" estivesse certo. Mas, na verdade, eu precisava saber "quem" eu era em Cristo, e então Ele me ajudaria a "fazer" coisas certas pelas razões certas.

Esse não é um problema exclusivo dos dias atuais. Paulo tratava frequentemente dessa questão. Em sua carta aos Gálatas, o apóstolo pergunta por que eles estavam tentando chegar à perfeição pela dependência da carne. Ele os incentivou a recordarem que toda a sua nova vida espiritual havia nascido por causa da fé e da dependência do Espírito Santo; portanto, por que eles precisariam tentar chegar à perfeição de qualquer outra maneira que não a maneira como começaram?

Ele concluiu dizendo-lhes que se eles não parassem com esse tipo de comportamento legalista, tudo o que haviam sofrido até então não teria sentido; teria sido em vão.

Não sei quanto a você, mas cheguei longe demais e passei por coisas demais para estragar tudo agora. Quero conhecer o caminho certo para me aproximar de Deus, e de acordo com o meu entendimento da Sua Palavra, esse caminho é por meio da fé no que Jesus fez, e não pela fé no que eu posso fazer.

Não podemos ter sucesso em sermos nós mesmos sem conhecer essas coisas. Só podemos ter êxito se avançarmos *por fé e não por obras*. Se crermos que a nossa aceitação se baseia no que fazemos, sempre nos sentiremos rejeitados quando falharmos em fazer a coisa certa. Mas se colocarmos toda a nossa dependência em quem somos em Cristo, em vez de no que fazemos por Ele, o nosso "ser" corrigirá o nosso "fazer".

DE GLÓRIA EM GLÓRIA

*E todos nós, com o rosto desvendado, contemplando, como por espelho, a glória do Senhor, estamos sendo transformados, **de glória em glória**, na sua própria imagem, assim como pelo Espírito do Senhor.*
2 Coríntios 3:18, grifo meu

Vamos voltar à pergunta original feita na introdução deste livro:
Como você se vê?
Você é capaz de avaliar honestamente a si mesmo e o seu comportamento sem se condenar? Você é capaz de olhar a distância que ainda precisa percorrer, mas também olhar quão longe você já chegou? O lugar onde você está agora não é o seu destino final. Mantenha-se focado na linha de chegada ou você jamais sairá da largada.

Na versão da *Amplified Bible* de 2 Coríntios 3:18, Paulo declara que Deus nos transforma de um nível de glória a outro. Em outras palavras, as nossas mudanças pessoais, assim como aquelas que ocorrem ao nosso redor, se dão em diferentes níveis.

Você está em um nível de glória neste instante!

Se você nasceu de novo, então você está em algum ponto do caminho trilhado pelos justos. Talvez não esteja tão longe quando gostaria, mas, graças a Deus, você está no caminho. Houve um tempo em que, por causa de sua incredulidade, você não tinha um relacionamento de aliança com Deus (Efésios 2:11-12). Mas agora você pertence à família de Deus e está sendo transformado por Ele a cada dia. Desfrute do nível de glória no qual você está agora e não fique com inveja de onde os outros possam estar. Em algum momento, eles também tiveram de passar pelo lugar onde você está agora.

Temos uma forte tendência (carnal) de comparar a nossa glória com a de todos os demais. O diabo se encarrega de fazer com que pensemos assim, mas Deus não age assim. Deus quer que entendamos que cada um de nós é um indivíduo único e que Ele tem um plano único para cada pessoa. Satanás quer garantir que nunca desfrutemos do lugar onde estamos neste instante. Ele quer que estejamos competindo uns com os outros, sempre querendo o que outra pessoa tem. Quando não sabemos como desfrutar do nível de glória em que estamos, tudo o que fazemos é retardar o processo de amadurecimento. Não creio que possamos passar para o próximo nível de glória até que tenhamos aprendido a desfrutar daquele onde estamos neste instante.

Nesse sentido, um nível de "glória" é simplesmente um lugar que é melhor que o anterior.

Eu tinha tantas falhas na minha personalidade e no meu caráter que mesmo depois de cinco anos tentando andar com o Senhor, ainda sentia que não havia feito praticamente nenhum progresso. No entanto, durante todo aquele tempo eu estava me tornando gradualmente um pouco mais cheia de glória.

Geralmente somos duros demais com nós mesmos. Cresceríamos mais depressa se relaxássemos mais. Não podemos ser guiados pelos nossos sentimentos no tocante a essas questões. Satanás garante que frequentemente "sintamos" que somos um caso perdido ou que Deus não está trabalhando em nossa vida. Precisamos aprender a viver segundo a Palavra de Deus e não segundo a maneira como nos sentimos. A Sua Palavra afirma que desde que creiamos, Ele está operando em nós!

SOMOS UMA "OBRA EM ANDAMENTO"

> *... A Palavra de Deus... está operando eficazmente em vocês que creem [exercendo o seu poder sobre-humano naqueles que se unem a ela, confiam nela e dependem dela].*
>
> 1 Tessalonicenses 2:13

Eu encorajo você a dizer todos os dias: "Deus está trabalhando em mim neste instante — Ele está me transformando!" Fale com a sua boca o que a Palavra de Deus diz, e não o que você sente.

Parece que falamos incessantemente sobre como nos sentimos. Quando agimos assim, é difícil a Palavra de Deus operar em nós com eficácia. Colocamos os nossos sentimentos acima de todas as coisas e permitimos que eles assumam o papel principal em nossa vida.

Muitas vezes nos "sentimos" rejeitados, e por isso acreditamos que as pessoas estão nos rejeitando. Talvez elas na verdade nem estejam prestando atenção em nós; portanto, elas não estão nos aceitando ou rejeitando. Se acreditarmos que as pessoas estão nos rejeitando, é provável que elas passem a nos rejeitar. A nossa atitude de "coitadinho de mim, ninguém me ama, sou sempre rejeitado" é o que faz com que as pessoas queiram ficar longe de nós.

Devemos evitar nos comportar como alguém que acredita que será rejeitado se não tiver um desempenho perfeito. Devo admitir que o mundo costuma operar com base nesse princípio, mas Deus, não, e nós também não devemos fazer isso. Nenhum de nós que tenha olhado para si mesmo de forma honesta ousaria não aceitar os outros se não forem perfeitos. Jesus ensinou que só poderemos exigir a perfeição nos outros como requisito para que tenham um relacionamento conosco quando a nossa própria perfeição for completa.

Ficamos tão acostumados com o fato de que as pessoas no mundo estão excessivamente preocupadas com o nosso desempenho e com o que estamos fazendo, que levamos essa maneira de pensar equivocada para o nosso relacionamento com Deus intermediado por Jesus Cristo. Pensamos que Deus é como o mundo, mas Ele não é assim. O medo de sermos rejeitados (ou de não sermos aceitos) é um dos maiores impedimentos para termos êxito em sermos nós mesmos.

À medida que avançarmos na direção de ser tudo o que podemos ser em Cristo, cometeremos alguns erros — todos cometem. Mas quando entendemos que Deus está esperando que façamos o melhor que pudermos, isso tira a pressão de cima de nós. Ele não espera que sejamos perfeitos (totalmente sem falhas). Se fôssemos tão perfeitos quanto tentamos ser, não precisaríamos de um Salvador. Creio que Deus sempre nos deixará ter alguns defeitos, apenas para que saibamos o quanto precisamos de Jesus a cada dia.

Não sou uma pregadora perfeita. Há vezes em que digo coisas de forma errada, vezes em que acredito ter ouvido Deus e descubro que estava ouvindo a mim mesma. Há muitas vezes em que fico longe da perfeição — na verdade, algumas centenas de vezes todos os dias! Não tenho uma fé perfeita, uma atitude perfeita, pensamentos perfeitos ou caminhos perfeitos.

Jesus sabia que isso aconteceria a todos nós. É por isso que Ele "se coloca na brecha" por nós (Ezequiel 22:30). Uma brecha é um espaço entre duas coisas. Há uma brecha, um espaço entre nós e Deus, que foi colocado ali pelas nossas imperfeições e pecados. Deus é perfeito e completamente santo. Ele só pode ter comunhão com aqueles que são como Ele. É por isso que vamos a Ele através de Cristo. Jesus é exatamente como Seu Pai. Ele nos disse: "Se vocês Me viram, viram o Pai" (João 14:9, paráfrase minha).

Jesus se coloca na brecha entre a perfeição de Deus e a nossa imperfeição. Ele intercede *continuamente* por nós porque precisamos dessa intercessão *continuamente* (Hebreus 7:25). Jesus veio até nós tanto como Filho de Deus quanto Filho do Homem. Ele é o

Mediador entre as duas partes — nós e Deus (1 Timóteo 2:5). Por meio dele, entramos em concordância e comunhão com o Pai. Nele somos aceitáveis a Deus.

ACEITOS NO AMADO

... Ele nos fez ser aceitos no amado.

Efésios 1:6

Não temos de crer que Deus nos aceita somente se tivermos um desempenho perfeito. Podemos crer na verdade de que Ele nos aceita "no Amado".

Deus nos aceita porque somos crentes em Seu Filho Jesus Cristo. Se crermos nas mentiras de Satanás, passaremos nossa vida em meio a lutas e frustrações. As nossas habilidades serão minadas e nunca teremos êxito em sermos nós mesmos.

Deus falou ao meu coração certa vez e disse: "Faça o seu melhor, e depois entre no Meu descanso." Achei essa uma ótima ideia, porque eu havia tentado todas as outras coisas possíveis e estava completamente desgastada. Descobri que o meu melhor a cada dia ainda inclui algumas imperfeições, mas foi por isso que Jesus morreu por você e por mim.

O CICLO INTERMINÁVEL DO DESEMPENHO E DA ACEITAÇÃO

Mas àquele que não trabalha [pela Lei], confia (crê plenamente) Naquele que justifica o ímpio, a sua fé lhe é atribuída como justiça (a posição aceitável a Deus).

Assim Davi congratula o homem e pronuncia uma bênção sobre aquele a quem Deus atribui justiça, independentemente das obras que faz.

Romanos 4:5-6

Se passamos anos presos ao ciclo interminável do desempenho e da aceitação, é difícil romper com ele. Isso se torna um estilo de vida que afeta nossos pensamentos, percepções e decisões.

Muitas pessoas prefeririam continuar vivendo no ciclo do desempenho e da aceitação a romper com ele e enfrentar a possibilidade do fracasso. Outras se sentem tão mal consigo mesmas devido aos seus fracassos passados, que nem sequer querem tentar adotar um novo estilo de vida.

Quando as pessoas são viciadas em se sentirem bem consigo mesmas somente quando têm um bom desempenho, elas estão fadadas a viver uma vida infeliz. É um ciclo de tentativa e erro, nova tentativa e novo erro, sentimento de culpa e rejeição, nova tentativa e novo erro, e assim por diante.

Deus não nos quer presos a esse ciclo. Ele quer que nos sintamos bem com nós mesmos quer tenhamos um desempenho perfeito ou não. Ele não quer que nos tornemos orgulhosos, mas certamente não nos criou para a rejeição. É nesse ponto que uma revelação sobre nosso "ser" e nosso "fazer" é tão valiosa. Deveríamos ser capazes de separar as duas coisas e olhar honestamente para ambas. Se tivermos um mau desempenho, podemos lamentar e esperar fazer melhor da próxima vez. Podemos tentar melhorar o nosso desempenho (o nosso "fazer"), mas o nosso valor e a nossa dignidade (o nosso "ser") não podem ser determinados pelo nosso desempenho.

As pessoas que têm problemas nessa área encaram as coisas de maneira errada. Se elas têm a expectativa de serem rejeitadas quando o seu desempenho não é bom, elas reagem como se já tivessem sido rejeitadas — o que confunde aqueles que se relacionam com elas.

Eis um exemplo. Minha administradora geral, que está conosco há muitos anos, tinha um problema na área do desempenho e da aceitação. Ela cresceu acreditando e recebendo a mensagem de que poderia adquirir aceitação e amor por meio da perfeição.

Quando ela começou a trabalhar conosco, percebemos que todas as vezes que perguntávamos a ela sobre a sua carga de trabalho, ela reagia de maneira muito estranha. Parecia que se não pudesse nos dizer que tudo estava perfeitamente sob controle e que ela tinha cumprido todas as suas tarefas, ela se irritava e se lançava em um ciclo de trabalho cada vez mais intenso e mais feroz. Esse comportamento estava se tornando um grande problema para mim, porque eu sentia que ela recuava e me rejeitava nesses momentos. Eu não a estava rejeitando por causa de suas imperfeições, mas ela acreditava que estava sendo rejeitada por mim; portanto, ela não conseguia *receber* o meu amor, o qual eu ainda assim queria dar a ela liberalmente.

Recebemos pelo ato de crer; e recebemos aquilo em que cremos, e nada mais. Se não cremos na graça, na misericórdia e no favor de Deus, então não podemos recebê-los. Se crermos que precisamos fazer tudo de maneira perfeita e correta para ser aceitos por Deus, então rejeitaremos o Seu amor, embora Ele não nos rejeite. Esse pensamento equivocado e essa forma errada de crer nos mantêm aprisionados. É como uma esteira rolante que gira tão depressa que não conseguimos encontrar um momento para descer — um ciclo sem fim.

Se você está no ciclo interminável do desempenho e da aceitação, oro para que isso seja quebrado em sua vida a fim de que você possa receber livremente a aceitação de Deus e depois ajudar outros a fazerem o mesmo.

TIRE A PRESSÃO DE CIMA DAS OUTRAS PESSOAS

Eles atam fardos pesados, difíceis de carregar, e os colocam sobre os ombros dos homens, entretanto eles mesmos não querem levantar um dedo para ajudar a suportá-los.

Mateus 23:4

Você e eu colocamos uma enorme pressão sobre nós quando temos expectativas não realistas, quando esperamos ser perfeitos. Deus não quer que vivamos sob esse tipo de pressão.

Também podemos recair em uma maneira equivocada de pensar, o que faz com que pressionemos outras pessoas. Podemos esperar mais das pessoas do que elas são capazes de nos dar. Fazer com que as pessoas com quem nos relacionamos se sintam continuamente pressionadas causará o colapso desse relacionamento.

Todas as pessoas em todo lugar estão em busca de aceitação.

Como seres humanos, todos nós precisamos de espaço ou liberdade para sermos quem somos. Queremos ser aceitos como somos. Isso não significa que não sabemos que precisamos de algumas mudanças, mas não queremos que as pessoas nos digam, ainda que de forma sutil, que precisamos mudar para sermos aceitos.

É mais provável que mudemos por aqueles que estão dispostos a aceitar-nos com as nossas imperfeições, do que por aqueles que fazem exigências e esperam que vivamos de acordo com a sua lista de regras e regulamentos.

Uma coisa é certa, Deus não vai mudar as pessoas que estamos tentando mudar. Ele tem uma política de que ninguém mais "toca" na vida humana na qual Ele está trabalhando.

Lembro-me dos anos em que eu tentava a todo custo mudar meu marido Dave e cada um de nossos filhos de maneiras diferentes. Aqueles foram anos frustrantes porque, por mais que eu tentasse, não funcionava! Um dia Deus me disse: "Ou você vai fazer isso, ou Eu vou, mas nós dois não vamos fazê-lo ao mesmo tempo. Vou esperar até que você termine. Quando você parar, me avise, e Eu começarei a trabalhar e resolverei o assunto!"

Minha família sabia que eu não estava satisfeita com eles. Eu os amava, mas não incondicionalmente. Eu não estava disposta a aceitar as imperfeições deles: *eu estava determinada a mudá-los!*

Mesmo quando pensamos que estamos conseguindo disfarçar a nossa reprovação, as pessoas ainda podem senti-la. Quando a reprovação não está nas nossas palavras, está no nosso tom de voz e na nossa linguagem corporal. Podemos tentar controlar o que dizemos, mas o que quer que esteja no coração eventualmente sai pelos lábios. Mais cedo ou mais tarde escorregamos e dizemos o que estávamos pensando.

Eu estava pressionando minha família, e o fato de que eu não queria aceitá-los como eram estava me pressionando.

Não estou dizendo que devemos aceitar o pecado e o comportamento errado das outras pessoas e simplesmente tolerar isso! Mas estou dizendo em alto e bom som, a partir da minha experiência pessoal e com base na Palavra de Deus, que a maneira de mudar é por meio da *oração e não da pressão!* Se amarmos as pessoas e orarmos a Deus sobre o pecado delas, Deus irá operar.

Muitas pessoas que nos irritam estão simplesmente sendo elas mesmas, e a personalidade delas simplesmente não combina com a nossa.

Meu filho mais velho David, por exemplo, fazia com que eu sentisse continuamente a necessidade de provar a ele que o amava. Ele me desafiava acerca de praticamente tudo. Não que ele se recusasse a fazer o que lhe era pedido, mas ele tinha de desafiar a situação. Ele queria ter o controle, e não estava disposto a abrir mão disso. Ele tinha uma opinião forte, e eu não gostava disso. Ele tinha um temperamento esquentado e era impaciente, e eu também não gostava disso. Se ele entrasse na mesma sala onde eu estava, dentro de alguns minutos tínhamos algum tipo de conflito. Mesmo se não fosse verbal, ainda podíamos sentir a contenda no ar.

Eu amava meu filho, mas não gostava dele. Eu queria que ele mudasse e estava determinada a mudá-lo, quer ele quisesse ou não. É desnecessário dizer que o nosso relacionamento estava sob constante pressão. À medida que ele foi ficando mais velho, o conflito entre nós piorou, mas como ele já era um homem, e não mais um menino, não tive outra opção senão aceitá-lo como ele era ou pedir a ele que saísse de casa.

Certa noite, em um culto da igreja no meio da semana, o Senhor me revelou que eu estava abrigando falta de perdão contra meu filho porque achava que ele não era espiritual o bastante. Eu queria que ele — e todos os meus filhos — fosse "muito espiritual". Eu também queria que ele desempenhasse esse "papel" na igreja e na presença dos meus amigos. Eu queria que ele passasse as noites lendo a Bíblia. Queria ouvi-lo orar pela manhã. Eu queria, eu queria, eu queria — e tudo o que consegui foi frustração e pressão.

Deus me disse para pedir perdão a David pela pressão que coloquei sobre ele ao longo dos anos e por não aceitá-lo como ele era. Levei algumas semanas para obedecer. Eu tinha medo de que se me humilhasse como Deus estava pedindo, meu filho se aproveitaria da situação.

Finalmente, fiz como Deus me ordenou. Disse ao meu filho o que Deus havia me mostrado e pedi perdão a ele. Junto com meu marido Dave, dissemos a David que ele tinha dezoito anos e que precisávamos estabelecer algumas novas diretrizes para a família, de modo que aproveitamos aquela oportunidade para fazer isso. Dissemos a ele que queríamos que ele fosse à igreja uma vez por semana, que não levasse garotas para casa quando não estivéssemos lá, e que não tocasse *rock* pesado em casa quando saíssemos. Fora essas coisas, estávamos dispostos a recuar e a parar de tentar mudá-lo. Dissemos a ele que o aceitávamos como ele era.

Quando Dave e eu explicamos tudo isso ao nosso filho, ele começou a chorar.

— Vocês não sabem o quanto eu precisava ouvir que vocês me amam e me aceitam como sou — ele disse.

Então ele continuou:

— Eu gostaria de todo o coração sentir por Deus o mesmo que você e papai sentem, mas não sinto, e não posso fazer com que eu me sinta diferente. Estou fazendo o melhor que posso neste momento, mas espero mudar.

Foi preciso muita graça, principalmente da minha parte, mas retiramos a pressão de sobre ele. Recuamos e colocamos a nossa confiança em Deus para fazer o que precisava ser feito. Cerca de seis meses se passaram, e não vimos mudança em David. Então *de repente*, em uma véspera de Ano-Novo, ele foi à igreja e Deus o tocou! Quando ele voltou para casa, anunciou que iria para o seminário e que serviria totalmente a Deus com sua vida, ainda que isso significasse perder todos os amigos que tinha.

Agora David é um dos nossos gerentes de divisão no ministério Life In The Word. Ele é o chefe do nosso programa de Missões Mundiais e do departamento de mídia. Ele também é um de nossos bons amigos. Desfrutamos da comunhão que temos juntos.

Enquanto eu estava pressionando David, isso teve um efeito bumerangue e, na verdade, acabou fazendo com que eu me sentisse pressionada. De nada adiantou, na verdade fez mal ao nosso relacionamento e fez com que ele se sentisse inseguro. Foi apenas muitos anos depois que finalmente entendi por que eu tinha tanta dificuldade com a personalidade dele: *ele é exatamente como eu!*

A personalidade do meu marido também me irritava. Dave é tranquilo (com relação à maioria das coisas). Ele é um amante da paz e é capaz de "caminhar a segunda milha" para preservá-la. A sua filosofia de vida é tirada diretamente da Bíblia — *lance a sua ansiedade sobre o Senhor!* (1 Pedro 5:7). Essa é a resposta de Dave para a maioria das coisas. O resultado disso é que a vida é bastante fácil para ele.

Eu, por outro lado, não era tranquila com relação a nada. Eu tinha opiniões e desejos muito definidos. Quando não conseguia as coisas do meu jeito, fazia muito barulho por causa disso. Ficava ansiosa e não estava disposta a lançar a minha ansiedade sobre o Senhor.

A natureza tranquila de Dave, embora fosse uma grande bênção para mim, às vezes também me irritava. Eu queria que ele fosse mais agressivo na vida. Um dia ele me esclareceu as coisas quando me disse: "Joyce, é melhor você ficar muito feliz por eu ser do jeito que sou; do contrário, você certamente não estaria fazendo o que está fazendo." Ele estava falando sobre eu estar no ministério em tempo integral. O fato de que Deus criou Dave da maneira que ele é tornou fácil para ele permitir que eu tivesse liberdade para ter sucesso em ser eu mesma. Ele não apenas me permitiu — ele me ajudou.

Muitas vezes as coisas de que mais precisamos estão ao nosso alcance — estão na personalidade das outras pessoas, em sua natureza ou maneira de ser — *se* pararmos de julgá-las e de tentar mudá-las. Eu precisava ter um homem de paz em minha vida. Todos os outros homens que encontrei haviam sido tudo, menos homens de paz. Orei durante anos por um homem como Dave, e quando o encontrei, tentei colocá-lo na roda do oleiro e remodelá-lo. Isso gerou pressão no nosso relacionamento. Dave era tranquilo, mas até ele acabou se cansando disso. Ele estava começando a não gostar mais de mim — ele me disse isso, e isso me assustou. Fico feliz por ele ter agido assim, porque ouvir aquelas palavras me levou a tirar a pressão que eu havia colocado sobre ele e a confiar em Deus para mudar o que precisava ser mudado em meu marido.

Dave sempre amou os esportes, e essa era uma das coisas que eu queria mudar. Eu não ligava para esportes e, assim, no meu egoísmo, queria que ele também não gostasse deles. Eu queria toda a atenção dele. Eu queria que ele fizesse o que eu queria fazer.

Eu, eu, eu — esse é o nosso maior problema.

Lembro-me de muitas tardes de domingo que foram desperdiçadas quando eu estava zangada e de cara feia enquanto Dave assistia ao futebol, ao beisebol, ao hóquei, ao golfe ou a algum outro esporte. Minha atitude não fez com que ele parasse de assistir a esses jogos; na verdade, ele realmente não permitia que eu o incomodasse de modo algum, e isso me deixava ainda mais furiosa. Mas, finalmente, a atitude de Dave ministrou ao meu coração. Torne-me sedenta pela estabilidade e pela paz que via na vida dele.

À medida que os anos se passaram, aprendi que podia encontrar outras coisas para fazer durante aqueles jogos. Dave fazia as coisas que eu queria que ele fizesse na maior parte do tempo. Não era realista esperar que ele abrisse mão do que gostava só porque eu não sentia o mesmo por essas coisas.

Percorri um longo caminho. Agora mesmo, enquanto escrevo este livro, estou olhando para Dave sentado do outro lado da sala, na posição oposta a onde estou trabalhando em meu computador. Ele está assistindo a um jogo de golfe e durante os comerciais ele está assistindo a um jogo de futebol. Ele não mudou nessa área, mas eu mudei. A pressão se foi, e o nosso casamento está melhor.

Às vezes queremos que os outros mudem, quando na verdade somos nós que precisamos mudar.

Nossa filha mais velha Laura era indisciplinada. Ela não gostava da escola e estava satisfeita em tirar notas entre medianas e ruins. Seu quarto estava sempre uma bagunça e eu constantemente dizia a ela (na verdade, gritava) para limpá-lo. Eu não gostava dos amigos que ela escolhia nem da sua atitude. Eu a pressionava tanto que quando ela se casou, não me telefonou por seis meses. Isso me magoou muito, mas agora entendo algumas coisas que não entendia na época.

Não podemos mudar as pessoas pressionando-as ou irritando-as.

Para que a mudança seja duradoura, ela deve vir de dentro para fora. Só Deus pode realizar esse tipo de mudança no coração.

Graças a Deus, Laura e eu também tivemos nosso relacionamento restaurado. Depois de seis meses, ela me disse que eu estava certa acerca de muitas coisas. A essa altura eu estava disposta a admitir que também estava errada a respeito de muitas outras. Hoje ela trabalha em nossa equipe, assim como todos os nossos filhos, e somos ótimas amigas.

Ela mudou, e eu mudei, mas não mudamos uma à outra. Deus foi o responsável por tudo!

Minha filha mais nova, Sandra, não era difícil de lidar como os dois filhos mais velhos. Sua personalidade fazia com que ela quisesse fazer tudo perfeitamente, e quanto mais perfeita ela era, mais eu gostava disso. Ela era muito exigente consigo mesma, a ponto de não precisar da ajuda de ninguém. Ela tinha muitas expectativas irrealistas acerca de si mesma, que a pressionavam a ponto de levá-la a ter problemas nas costas relacionados ao estresse. Além disso, o estresse também provocava problemas no cólon. Ela nunca estava satisfeita consigo mesma em nada. Ela não gostava do seu cabelo, da sua pele, da sua aparência nem do seu corpo. Ela não gostava dos seus dons e talentos. Ela achava que era lenta e estúpida. Ela também mudou! Parece que todos nós mudamos se perseverarmos e formos determinados com o Senhor.

Sandra agora é a responsável pelo ministério de administração e auxílio nas nossas conferências. É uma grande responsabilidade, e ela faz um trabalho extraordinário. Ela também me ajuda com algumas coisas no púlpito (ofertas, anúncios, exortações, e assim por diante). Sandra tem um chamado genuíno sobre a sua vida para o ministério de auxílio. Ela absolutamente ama ajudar! Ajuda seus irmãos cuidando dos filhos deles. Ajuda minha tia viúva passando tempo com ela e levando-a a diversos lugares.

O diabo havia convencido Sandra nos primeiros anos de sua vida de que ela não tinha dons ou talentos. Ela acreditou nele e, enquanto ela acreditou, foi infeliz e se sentiu desvalorizada. Satanás é um grande mentiroso, mas enquanto crermos nas mentiras dele, não seremos realizados e nunca teremos sucesso em ser nós mesmos.

Sandra era e é uma pessoa preciosa que rejeitou a si mesma por algum tempo, mas que por meio da Palavra de Deus encontrou a verdade que a libertou. Sua personalidade perfeccionista fez com que ela pressionasse as outras pessoas por algum tempo. Ela tinha expectativas não realistas relativas a essas pessoas assim como tinha quanto a si mesma.

Sempre que esperamos que outra pessoa nos faça feliz o tempo todo, estamos fadados a viver uma decepção.

Quando Sandra se casou, foi com um homem muito parecido com Dave — muito tranquilo e amante da paz. Ele é de convivência muito fácil, mas não gosta de ser irritado. Ele chegou a um ponto em que disse a Sandra para parar de agir como sua mãe. Ela ficou muito furiosa e magoada, mas à medida que os dias se passaram, percebeu que ele estava certo. Ela parou de pressioná-lo, e o resultado é que ela está se sentindo menos pressionada também.

Daniel, nosso filho mais jovem, perdeu muito dos meus "dias de fúria". Quando ele nasceu, eu estava mais madura no Senhor. Eu havia aprendido a aceitar as pessoas como elas são, permitindo que Deus fizesse nelas as mudanças que Ele considera necessárias.

A personalidade de Daniel é muito semelhante à de Laura, mas ele e eu tivemos poucos conflitos em todos esses anos. Eu o aceito como ele é, e não por causa do que ele faz ou não faz. Eu o corrijo quando necessário, mas não o rejeito porque ele não me agradou.

Assim como Laura, Daniel não gostava da escola, e durante todos os doze anos escolares ele avançou aos trancos e barrancos até terminar seus estudos — mas ele conseguiu. Ele se formou e é um cidadão agora. Ele trabalha no departamento de televisão do nosso ministério e tem a visão de trabalhar com a juventude. Fico muito feliz porque finalmente aprendi a viver em paz.

A paz é muito melhor que a pressão!

Talvez você precise aliviar a pressão de cima de algumas pessoas em sua vida. Pense nisso. Se Deus lhe mostrar situações e áreas nas quais lhe falta equilíbrio, eu o incentivo a fazer as mudanças necessárias.

Você e eu colhemos o que plantamos, como todo mundo. Se semearmos liberdade na vida das outras pessoas, colheremos liberdade. Se tirarmos a pressão de cima dos outros, não apenas tiraremos a pressão de cima de nós mesmos, como também perceberemos que as outras pessoas também estão nos pressionando menos.

EXPECTATIVAS NÃO REALISTAS

> *E não precisava de que alguém lhe desse testemunho a respeito do homem [não precisava de evidência da parte de ninguém acerca dos homens], porque Ele mesmo sabia o que havia na natureza humana [Ele podia ler os corações dos homens].*
>
> João 2:25

Discutimos as expectativas não realistas com relação às pessoas até certo ponto, mas quero ir mais fundo nesse assunto. Parecem ser as nossas expectativas que fazem com que nos decepcionemos com as pessoas e as situações.

Estou dizendo, então, que não devemos esperar por nada? É claro que não! Devemos esperar o melhor das pessoas, mas ao mesmo tempo precisamos lembrar que elas são pessoas.

Quando os discípulos de Jesus o decepcionavam, isso não o deixava arrasado porque Ele já conhecia e entendia completamente a natureza humana. Jesus esperava que Seus discípulos fizessem o seu melhor, mas sabia que até o melhor que fizessem ainda seria imperfeito.

Cheguei à conclusão de que estamos sempre procurando o casamento perfeito, o amigo perfeito, o emprego perfeito, o bairro perfeito, a igreja perfeita, e a verdade é que *isso não existe!* Enquanto estivermos em corpos terrenos manifestaremos imperfeição. Deus devia saber disso, porque Ele nos deu muitas instruções na Sua Palavra com relação a como lidar com as pessoas que nos irritam ou nos decepcionam.

Por exemplo, em Gálatas 6:2, lemos: "Levem (suportem, carreguem) as cargas e as falhas morais problemáticas uns dos outros e, assim, vocês cumprirão e observarão perfeitamente a lei de Cristo (o Messias) e completarão o que está faltando [na sua obediência a ela]."

Em João 13:34 Jesus disse: "Eu lhes dou um novo mandamento: que vocês amem uns aos outros. Assim como Eu os amei, vocês também devem amar uns aos outros." A lei de Cristo é a lei do amor. Se amarmos uns aos outros como Ele nos ama, então devemos amar sem condições e sem pressão.

Em 1 Pedro 2:19-21, Pedro nos diz que devemos amar aqueles que são difíceis de conviver, e também diz que fomos chamados a esse tipo de vida.

Outro versículo que nos ensina como tratar aqueles que nos magoam ou nos irritam está em Romanos 12:16, quando Paulo escreve: "Vivam em harmonia uns com os outros, não sejam arrogantes (esnobes, soberbos, exclusivos), mas ajustem-se prontamente a [pessoas, coisas] e dediquem-se a tarefas humildes. Nunca se superestimem nem sejam sábios nos seus próprios conceitos acerca de si mesmos."

Por fim, 1 Pedro 3:9 nos diz: "Nunca paguem mal por mal ou insulto por insulto (repreensão, censura, reprimenda), mas, ao contrário, bendizendo [orando pelo bem-estar, felicidade e proteção deles, e realmente tendo compaixão deles e amando-os]. Pois saibam que para isto vocês foram chamados, para que vocês mesmos possam herdar a bênção [de Deus — para que possam obter a bênção como herdeiros, gerando bem-estar e felicidade e proteção]."

Não há lugar na Palavra de Deus em que sejamos orientados a rejeitar as pessoas. Em vez disso, devemos amá-las, compreendê-las, ter misericórdia e compaixão delas.

Admito que é mais fácil falar sobre como tratar as pessoas que nos irritam do que fazer isso na prática, mas se o Senhor nos disse para agir dessa forma, então podemos fazê-lo.

As expectativas não realistas nos afetam em muitas áreas diferentes. Primeiramente, temos expectativas não realistas quanto a nós mesmos. Esperamos ser capazes de fazer o que os outros fazem. Mas se não temos um dom em determinada área, não podemos sobressair nela. Quando fazemos as coisas de forma imperfeita, nos sentimos mal a respeito de nós mesmos. Isso parece iniciar um ciclo interminável de busca por coisas inatingíveis, esperando provar alguma coisa que absolutamente não temos de provar.

Sou livre para ser eu, e você é livre para ser você. Tudo que precisamos fazer é obedecer a Deus pessoalmente, não precisamos provar nada a nós mesmos ou a qualquer pessoa. Se obedecermos a Deus, Ele cuidará da nossa reputação. Quando esperamos ter um bom desempenho em áreas que estão fora da alçada dos nossos dons e chamado, podemos nos preparar para ter grandes decepções.

As expectativas não realistas também afetam nossos relacionamentos com as outras pessoas. Como já mencionamos, pessoas são pessoas, e todas elas têm pontos fortes e fracos. Para ter um relacionamento com as pessoas, precisamos aceitar as duas coisas. Esperar que os outros sejam responsáveis pela nossa felicidade é um grande erro.

Como disse Abraham Lincoln, a maioria das pessoas é tão feliz quanto decide ser. Se elas não decidirem ser felizes, não podemos fazê-las felizes, não importa o que façamos.

Durante os anos em que tive todas aquelas expectativas não realistas com relação a Dave e meus filhos, eu frustrava a todos com as minhas exigências nada razoáveis. Dave, sendo um amante da paz, tentava me manter feliz fazendo as diversas coisas que eu dizia querer que fossem feitas, mas de alguma forma eu nunca estava permanentemente feliz. Finalmente, um dia, ele disse: "Joyce, percebi que não importa o que eu faça, não consigo deixá-la feliz; portanto, vou parar de tentar."

Eu não era feliz porque não estava olhando a vida de forma realista.

Há momentos em que gostamos de acreditar que a fé remove o realismo, que independentemente do que está acontecendo em nossa vida, podemos reverter aquela circunstância acreditando que Deus pode mudar essas coisas. Muitas coisas podem ser mudadas pelo poder de Deus e pela Sua Palavra, mas há algumas questões na vida que precisamos encarar e com as quais nós mesmos temos de lidar, e uma dessas questões é aquilo sobre o qual estou falando neste livro.

As pessoas não são perfeitas, e esperar que elas o sejam é frustrante para todos os envolvidos. Precisamos aprender a ser generosos usando de misericórdia e a semear sementes de misericórdia a fim de que possamos colher misericórdia quando precisarmos dela.

Expectativas não realistas com relação às nossas circunstâncias também podem ser uma ferramenta usada por Satanás para nos levar ao desânimo e ao desespero. Em João 16:33 Jesus disse: "No mundo, passais por aflições; mas tende bom ânimo; Eu venci o mundo." O que Ele estava dizendo? "Vocês podem se alegrar porque enquanto estiverem no mundo terão algumas tribulações. Mas não se preocupem com isso, porque Eu tenho tudo sob controle."

Todos nós gostamos de planejar a nossa vida e fazer com que ela caminhe exatamente como planejamos, mas isso raramente acontece. Todavia, isso não é algo ruim — é apenas a verdade. Como crentes, recebemos o poder do Espírito Santo para nos ajudar a fazer coisas difíceis, não para tornar a nossa vida fácil a ponto de nunca precisarmos usar a nossa fé.

Incentivo você a esperar que coisas boas aconteçam em sua vida. Certamente eu não lhe diria para esperar coisas más. Também incentivo você a ser realista e entender que todos nós temos de lidar com coisas que são desagradáveis e pessoas que são desagradáveis. Nossa atitude nessas situações desafiadoras faz a diferença e definirá se vamos desfrutar a vida ou não.

Desafio você a tomar uma decisão sobre essa área e a manter-se firme. Esteja determinado a nunca ser derrotado novamente por circunstâncias que não estão alinhadas com os seus desejos. Permaneça calmo nos momentos de provação e confie em Deus. O que Satanás planejar para o seu mal, Deus fará que coopere para o seu bem à medida que você confiar nele. Ore acerca dessa área e peça a ajuda do Espírito Santo. Enquanto você viver no engano das expectativas não realistas, nunca alcançará o sucesso em ser você mesmo.

8
RECEBENDO GRAÇA, FAVOR E MISERICÓRDIA

> Acheguemo-nos, portanto, destemidamente, confiantemente e com ousadia ao trono da *graça* (o trono do *favor* imerecido de Deus a nós pecadores), a fim de que possamos *receber misericórdia* (pelas nossas falhas) e encontrar *graça* para nos socorrer em um tempo apropriado para toda necessidade (ajuda apropriada e ajuda oportuna, vindo exatamente quando precisamos dela).
>
> **HEBREUS 4:16, grifos meus**

Há algumas palavras na Bíblia que gosto de chamar de "palavras de poder". Se essas palavras forem entendidas corretamente, poderão nos servir de grande ajuda para termos sucesso em sermos nós mesmos. Do mesmo modo que para ter êxito em sermos nós mesmos precisamos aprender sobre o amor incondicional de Deus e recebê-lo, o mesmo acontece no que diz respeito a recebermos a Sua graça, o Seu favor e a Sua misericórdia.

Vamos examinar a primeira "palavra de poder": *receber*.

Mencionei que precisamos receber graça, favor e misericórdia, mas muitas pessoas simplesmente não sabem como receber. Por causa da maneira como a nossa sociedade está estruturada, estamos acostumados a trabalhar ou a pagar por tudo. Nós nos esforçamos para ter, mas Deus quer que recebamos gratuitamente.

Até mesmo nas nossas conversas uns com os outros usamos expressões como: "Você *já teve um encontro com* Jesus? Você *tem* o batismo no Espírito Santo? Você *teve* uma reviravolta em sua vida? Você já *teve* um momento de libertação?" Essas são expressões equivocadas, mas que indicam a nossa mentalidade.

A Bíblia fala por diversas vezes em receber de Deus. Ele sempre derrama a Sua bênção e, como vasos vazios e sedentos, deveríamos aprender a receber livremente tudo o que Ele nos oferece. Medite nestes versículos:

*Mas, a todos quantos o **receberam**, deu-lhes a autoridade (o poder, o privilégio, o direito) de se tornarem filhos de Deus, a saber, aos que creem no seu nome (se unem a Ele, confiam Nele e dependem Dele).*

João 1:12, grifo meu

*Porque da Sua plenitude (abundância) todos nós temos **recebido** [todos tiveram uma parte e todos foram supridos com] uma graça após outra e bênção espiritual sobre bênção espiritual e até mesmo favor sobre favor e dom [acumulado] sobre dom.*

João 1:16, grifo meu

*Mas vocês **receberão** poder (habilidade, eficiência e força) quando o Espírito Santo tiver descido sobre vocês, e vocês serão Minhas testemunhas em Jerusalém e em toda a Judeia e Samaria e até os confins (as extremidades) da terra.*

Atos 1:8, grifo meu

*Então [os apóstolos] impunham suas mãos sobre eles um a um, e eles **recebiam** o Espírito Santo.*

Atos 8:17, grifo meu

*Dele todos os profetas testificam (dão testemunho) de que todo aquele que Nele crê [que se une a Ele, confia Nele e depende Dele, entregando-se a Ele] **recebe** o perdão dos pecados através do Seu nome.*

Atos 10:43, grifo meu

> *... vos exortamos a não **receber** a graça de Deus em vão...*
> 2 Coríntios 6:1, grifo meu

> *Deixem-me fazer-lhes esta única pergunta: vocês **receberam** o Espírito [Santo] em resultado de obedecerem à Lei e de fazer as suas obras, ou foi por ouvirem [a mensagem do Evangelho] e crerem [no Evangelho]?*
> Gálatas 3:2, grifo meu

> *Portanto, como vocês **receberam** Cristo Jesus o Senhor, [assim] andem (regulem suas vidas e se conduzam) em união e em conformidade com Ele.*
> Colossenses 2:6, grifo meu

> *... para que possamos **receber** misericórdia [pelas nossas falhas]...*
> Hebreus 4:16, grifo meu

> *Portanto, livrem-se de toda impureza e do aumento desenfreado da maldade, e com um espírito humilde (manso e modesto) **recebam** e deem as boas-vindas à Palavra que, implantada e arraigada [em seus corações], contém o poder para salvar as suas almas.*
> Tiago 1:21, grifo meu

Esses versículos e muitos outros salientam o princípio de receber, e não de obter. Meus estudos ao longo dos anos produziram as seguintes definições das palavras *obter* e *receber*: obter é conseguir por esforço e luta, ao passo que receber é tornar-se um receptáculo e simplesmente tomar o que está sendo oferecido.

Essa distinção entre *obter e receber* ajuda-nos a entender por que muitos cristãos têm dificuldades na sua caminhada com o Senhor. Eles estão tentando obter aquilo que precisam da parte de Deus quando deveriam estar simplesmente pedindo e recebendo.

PEDINDO E RECEBENDO

"... Pedi e recebereis, para que a vossa alegria seja completa."

João 16:24

Esse é um dos meus versículos favoritos sobre o assunto "receber". Ele parece simples, e na verdade se propõe a ser assim.

Jesus veio para nos libertar de ficarmos nos exaurindo, não para nos convidar a fazer isso de uma nova maneira sob a bandeira do Cristianismo. Quando aprendermos a pedir e receber, a nossa alegria realmente será completa. Quando tivermos recebido gratuitamente, então poderemos dar gratuitamente.

RECEBA DE GRAÇA, DÊ DE GRAÇA

"De graça recebestes, de graça dai."

Mateus 10:8

Em nossa sociedade encontramos muito poucas pessoas que são capazes de dar liberalmente. Talvez esse versículo derrame alguma luz nas razões pelas quais isso acontece. Se nunca aprendermos a receber liberalmente o que Jesus nos dá, nunca aprenderemos a dar liberalmente a outros.

Satanás fez um ótimo trabalho nos enganando para que acreditássemos que precisamos conquistar ou pagar por tudo. De algum modo fomos convencidos de que precisamos nos esforçar e lutar para conseguir o que queremos de Deus. Mas Jesus disse: "Vinde a Mim todos os que estão cansados de carregar suas pesadas cargas e Eu lhes **darei** descanso" *(Mateus 11:28, grifo meu).*

"Vinde a Mim" é um convite que nos dá um sentimento de conforto. Não soa como algo que envolva esforço e luta.

Precisamos aprender mais sobre receber e chegar ao entendimento de que, de acordo com a Palavra de Deus, todas as Suas bênçãos nos são dadas gratuitamente, por meio da fé.

PELA GRAÇA, MEDIANTE A FÉ

Pois é pela graça gratuita (o favor imerecido de Deus) que vocês são salvos (libertos do juízo e feitos participantes da salvação de Cristo) mediante a [sua] fé. E esta [salvação] não vem de vocês [dos seus próprios feitos, ela não veio através dos seus próprios esforços], mas é dom de Deus.

Não por causa de obras [não o cumprimento das exigências da Lei], para que nenhum homem se glorie. [Ela não é o resultado do que alguém possa fazer, para que ninguém possa se orgulhar ou tomar a glória para si.]

Efésios 2:8-9

Somos salvos pela graça por meio da fé, e precisamos aprender a viver nosso dia a dia da mesma forma. A graça é algo que não pode ser conquistado, só pode ser recebido como um dom gratuito.

A graça é o poder de Deus para nos ajudar nas áreas nas quais não podemos ajudar a nós mesmos. Em João 15:5, Jesus nos diz: "... sem Mim... nada podeis fazer." Portanto, precisamos de ajuda em todas as áreas de nossa vida. Se quisermos viver vitoriosamente, precisamos compreender a nossa impotência e exercitar a nossa fé na graça de Deus. Ele está mais do que disposto a nos ajudar se estivermos dispostos a abrir mão de agir por conta própria.

Em Gálatas 2:21 o apóstolo Paulo disse que se não tivesse recebido a graça de Deus, teria tratado o dom recebido do Pai como algo de menor importância, destruindo o seu propósito e anulando os seus efeitos. A graça flui sempre para nós em todas as situações, mas ela precisa ser recebida pela fé. No versículo 20, Paulo também disse que não era mais ele quem vivia, mas Cristo Quem vivia nele, e que a vida que agora vivia, ele a vivia pela fé no Filho de Deus.

Descobri anos atrás que todas as vezes que ficava frustrada era porque estava tentando fazer alguma coisa por conta própria, na minha própria força, em vez de colocar a minha fé em Deus e receber a Sua graça (a Sua ajuda). Nos primeiros anos da minha caminhada com o Senhor, eu estava frustrada e lutando contra alguma coisa a maior parte do tempo. Receber uma revelação da graça de Deus foi um divisor de águas para mim. Eu estava sempre "tentando" fazer alguma coisa e deixando Deus de fora. Eu tentava mudar a mim mesma, tentava mudar meu marido e meus filhos, tentava ser curada, tentava prosperar, tentava fazer o meu ministério crescer e tentava mudar todas as circunstâncias em minha vida de que eu não gostava. Estava frustrada porque nada que eu tentava gerava bons resultados.

Deus não permitirá que tenhamos êxito sem Ele. Se o Senhor fizesse isso, levaríamos o crédito que é devido a Ele. Se pudéssemos mudar as pessoas, estaríamos mudando-as para se ajustarem aos nossos propósitos, o que lhes roubaria a liberdade de fazer as próprias escolhas.

Finalmente, aprendi a orar pelo que achava que precisava mudar e a deixar Deus fazer isso à maneira dele e no tempo dele. Quando comecei a confiar na graça de Deus, entrei no Seu descanso.

GRAÇA E PAZ PARA VOCÊ

Graça e paz a vós outros, da parte de Deus nosso Pai, e do Senhor Jesus Cristo.

1 Coríntios 1:3

Em muitas das epístolas encontramos a seguinte saudação nos versículos de abertura: "Graça e paz a vós outros." Não podemos desfrutar a paz a não ser que entendamos a graça.

Muitos crentes sentem-se frustrados na sua experiência cristã porque não entendem como receber a graça, o favor e a misericórdia livremente. Estão sempre trabalhando em alguma coisa, tentando conquistar o que Deus só concede por meio da graça pela fé.

Em 1 Pedro 5:5 a Bíblia nos ensina que Ele dá graça somente aos humildes. Os humildes são aqueles que admitem as suas fraquezas e a sua total incapacidade de realmente serem bem-sucedidos sem a ajuda de Deus. Os orgulhosos estão sempre tentando levar algum crédito. Eles tendem a pensar que sua capacidade é a responsável por realizar o que precisa ser feito. As pessoas orgulhosas têm dificuldade em pedir, e ainda mais dificuldade em receber.

CRESÇA NA GRAÇA

Mas cresçam na graça (favor imerecido, força espiritual) e no reconhecimento, conhecimento e entendimento do nosso Senhor e Salvador Jesus Cristo (o Messias). A Ele [seja] a glória (a honra, a majestade e o esplendor) tanto agora quanto no dia da eternidade. Amém (assim seja)!

2 Pedro 3:18

A partir do momento que entendemos a graça, precisamos aprender como recebê-la em todas as situações. Confiar em Deus plenamente é algo que vem por meio do crescimento gradual. Quanto mais confiamos em Deus, mais fortes somos espiritualmente. Quanto mais confiamos em nós mesmos ou mesmo nas outras pessoas e coisas, mais fracos somos espiritualmente.

Tive de pôr em prática minha confiança em Deus no tocante às finanças. Em determinado momento do meu ministério, na verdade bem no começo, Deus me pediu para parar de trabalhar e confiar nele para sustentar minha família financeiramente. Eu sabia que precisava de tempo para me preparar para o ministério que Ele havia me chamado para exercer. Trabalhar em um emprego em tempo integral além de ser esposa e mãe de três filhos pequenos não me deixava com muito tempo livre para me preparar para ser uma mestra da Bíblia a nível internacional. Como um ato de fé e com o consentimento de meu esposo, deixei meu emprego e comecei a aprender a confiar em Deus para nos suprir. Dave tinha um bom emprego, mas o salário dele era inferior às nossas contas em quarenta dólares por mês. Isso significava que teríamos de ter um milagre de Deus a cada mês apenas para cobrir as nossas despesas regulares, sem contar qualquer extra.

Lembro-me da luta que foi não voltar ao trabalho. A cada mês, Deus realmente supriu, e ver a Sua fidelidade foi empolgante, mas eu estava acostumada a cuidar de mim mesma — toda essa coisa de "andar pela fé" estava crucificando a minha carne ao máximo. Foi difícil continuar a praticar a confiança, mas finalmente aprendi a andar pela fé nessa área. Adquirir esse fundamento firme no início do nosso ministério nos ajudou muitas vezes a não entrar em pânico quando necessidades financeiras surgem no ministério.

Também tive de pôr em prática minha confiança em Deus com respeito à submissão à autoridade. Fui ferida e maltratada pelas figuras de autoridade em minha vida, principalmente figuras de autoridade masculinas. Essas experiências me deixaram bastante determinada a fazer as coisas do meu jeito e a não confiar nas outras pessoas. É claro que a Palavra de Deus diz que as esposas devem se submeter a seus maridos (Efésios 5:22; Colossenses 3:18) e descobri que isso era muito difícil. Como a maioria dos casais, Dave e eu temos personalidades muito diferentes, e eu não concordava com muitas das suas opiniões e decisões. Entretanto, nada disso mudava a Palavra de Deus, então tive de aprender a me submeter quer eu quisesse, quer não. Mais uma vez, pôr em prática a fé nessas áreas crucificou a minha carne.

Lembro-me claramente de ter dito ao Senhor em uma situação particularmente difícil para mim: "Como o Senhor pode me pedir para confiar nas pessoas depois das coisas que aconteceram comigo ao longo da minha vida?"

Ele respondeu em meu coração: "Não estou lhe pedindo para confiar nas pessoas, Joyce, estou lhe pedindo para confiar em Mim."

Deus queria que eu confiasse nele para fazer justiça em cada situação da minha vida e para entender que se eu não havia conseguido as coisas do meu jeito, então talvez estivesse errada, ou talvez Ele tivesse um jeito melhor ou um tempo diferente em mente. Finalmente, à medida que fui exercendo minha fé sem cessar nessa área alcancei a vitória.

Só aprendemos a confiar em Deus confiando. Crescemos em graça praticando colocar nossa fé em Deus e recebendo a Sua graça em situações que são difíceis ou impossíveis para nós. Às vezes colocamos a nossa fé em Deus, e Ele nos dá graça para alcançarmos livramento. Outras vezes colocamos a nossa fé em Deus, e Ele nos dá graça para "atravessarmos" determinada situação. Precisamos deixar essa escolha nas mãos dele e saber que de uma forma ou de outra podemos ter vitória, mas somente pela graça mediante a fé.

Se você está tendo dificuldades com alguma coisa neste momento da sua vida, pergunte a si mesmo sinceramente se você está colocando a sua fé em Deus, na certeza de que a graça dele suprirá a sua necessidade. Lembre-se de que a graça é favor imerecido para nós, pecadores. É o poder de Deus intervindo nas situações da nossa vida para fazer por nós o que não podemos fazer por nós mesmos.

OS DONS DA GRAÇA

Porque pela graça (favor imerecido de Deus) que me foi dada, advirto a todos entre vocês que não pensem de si mesmos além do que convém [que não tenham uma opinião exagerada acerca da sua própria importância], mas que julguem a sua capacidade com um julgamento sóbrio, cada um de acordo com o grau de fé que lhe foi dado por Deus.

Romanos 12:3

Já falamos aqui sobre a diversidade de dons que Deus dá às pessoas. Esses dons (habilidades e talentos) vêm a nós pela graça de Deus, e não pelo nosso mérito.

Em 1 Coríntios 15:10, o apóstolo Paulo escreveu: "Mas pela graça (o favor e a bênção imerecidos) de Deus sou o que sou..." Se não entendermos que somos o que somos pela graça de Deus, então pensaremos que somos melhores do que de fato somos.

As pessoas orgulhosas se comparam a outras e se sentem superiores se são capazes de fazer alguma coisa que as outras não conseguem. Como cristãos, devemos julgar a nós mesmos com sobriedade, sabendo que sem Deus não podemos fazer nada de valor e que seja o que for que sejamos capazes de realizar, é apenas pela Sua graça. Ele nos dá uma medida da Sua própria fé para fazer qualquer coisa para qual Ele nos designe na vida. Ele nos dá habilidades por causa da Sua graça e do Seu favor, não por merecermos isso.

Quando Deus me revelou o Seu chamado para mim, minha vida era um caos. Eu havia nascido de novo, mas era muito carnal. Tinha muitos problemas emocionais devido ao abuso sofrido em meu passado. Eu tinha dificuldade de manter relacionamentos saudáveis, não andava nos frutos do Espírito e era muito egoísta, egocêntrica, manipuladora e controladora, entre muitas outras coisas. Não havia nenhuma razão visível pela qual Deus deveria ter me escolhido para ensinar a Sua Palavra e estar à frente de um ministério internacional. Ele me chamou pela Sua graça! Eu ainda continuo impressionada com a Sua bondade em minha vida, e sou muito grata.

Não podemos ficar verdadeiramente gratos ou maravilhados se não entendermos que fomos chamados pela bondade de Deus, e não pela nossa bondade.

A graça de Deus é multiforme ou possui muitas formas, como vemos em 1 Pedro 4:10: "Como cada um de vocês recebeu um dom (um talento espiritual específico, um dom divino gracioso), empreguem-no uns para com os outros como [convém a] depositários da multiforme graça de Deus [mordomos fiéis dos poderes e dons extremamente diversos concedidos aos cristãos por favor imerecido]."

A graça de Deus se manifesta em cada um de nós de uma maneira diferente. Por exemplo, sou muito disciplinada em muitas áreas. Creio que preciso do dom da disciplina para me ajudar a cumprir o chamado de Deus para a minha vida. Tenho de ser disciplinada para trabalhar quando os outros estão se divertindo. Tive de ser disciplinada ao longo dos anos para estudar milhares de horas a fim de ensinar a Bíblia com precisão. Estou muito ciente de que preciso disciplinar o meu comportamento e as minhas emoções em todo o tempo por causa do meu amor pelo Senhor e da posição que Ele me deu o privilégio de ocupar.

Moisés não teve permissão para fazer os israelitas entrarem na Terra Prometida devido à sua emoção (a ira) desenfreada (Números 20:12; Salmos 106:32-33). Em Tiago 3:1-2, a Bíblia diz que os mestres são julgados por um padrão mais elevado e com maior severidade do que as outras pessoas.

Não se tornem, muitos de vocês, mestres (censores e reprovadores de outros constituídos por si mesmos), meus irmãos, pois vocês sabem que nós [mestres] seremos julgados por um padrão mais elevado e com maior severidade [que as outras pessoas; assim assumimos responsabilidade maior e maior condenação].

Porque todos nós costumamos tropeçar e cair e ofender em muitas coisas. E se alguém não ofende no falar [nunca diz coisas erradas], ele tem um caráter plenamente desenvolvido e é varão perfeito, capaz de controlar todo o seu corpo e dobrar toda a sua natureza.

Tenho a forte convicção de que preciso pôr as coisas em prática e não apenas falar sobre elas. Como líder, devo ser um exemplo que as outras pessoas possam seguir. Tenho uma carne exatamente como todos os demais, e ela nem sempre quer cooperar comigo; portanto, tenho de me disciplinar. Nem sempre é fácil, mas a disciplina para mim é provavelmente mais fácil do que para alguém que tem uma personalidade diferente e foi chamado para fazer algo que tem uma natureza diferente.

A graça se manifesta de maneiras diferentes em pessoas diferentes, mas seja o que for que façamos bem ou tenhamos êxito em fazer, é devido à graça de Deus. Nenhum de nós é dotado em todas as áreas, e mesmo nas áreas nas quais somos dotados, raramente somos perfeitos.

Por exemplo, creio que sou dotada por Deus com força de vontade, mas há vezes em que essa força se torna a minha pior inimiga. Ela é boa quando preciso avançar em alguma situação difícil, mas não é tão boa quando quero as coisas do meu jeito, e a minha força de vontade continua fazendo pressão para conseguir algo que Deus não me deu. Vejo que o mesmo é verdade com relação à minha boca. Minha boca é o meu maior dom; ela é a parte de mim que Deus usa o tempo todo. No entanto, ao longo dos anos, ela também foi uma das minhas maiores fraquezas, uma fraqueza sobre a qual tive de orar continuamente.

Essas coisas nos mantêm dependentes de Deus, e não de nós mesmos. Para ter sucesso em sermos nós mesmos, precisamos entender como receber graça, favor e misericórdia. Não podemos receber alguma coisa se nem sequer entendemos o que ela é. É crucial lembrar que a graça é o favor imerecido de Deus que recebemos pela nossa fé. Ela torna-nos gratos e nos faz viver nossa vida com uma "atitude de gratidão".

CREIA NO FAVOR DE DEUS

> *Porém o Senhor era com José, e lhe demonstrou misericórdia e bondade e lhe concedeu favor aos olhos do carcereiro da prisão.*
> Gênesis 39:21

A Bíblia menciona muitas pessoas que receberam favor. Considerando que Deus não faz acepção de pessoas (Atos 10:34), podemos crer e receber favor em nossa vida diária.

Em Gênesis 39 lemos como José foi acusado e aprisionado injustamente. Mas o Senhor era com ele e demonstrou misericórdia e graça para com José. Deus lhe concedeu favor aos olhos do carcereiro da prisão, que colocou José no comando de tudo que acontecia ali. Na verdade, o carcereiro olhava para José de maneira tão favorável que ele não se importava com as acusações que havia contra José, e o Senhor fez com que os seus esforços prosperassem mesmo naquela situação adversa.

O favor também está disponível para nós, mas assim como muitas coisas boas na vida, apenas porque alguma coisa está disponível não significa que participaremos dela. O Senhor coloca à nossa disposição muitas coisas que nunca receberemos nem desfrutaremos porque nunca colocamos nossa fé em ação naquela área.

Eu precisei de muito favor para chegar onde estou hoje no ministério. Creio que tive sucesso em ser eu mesma, a pessoa que Deus originalmente pretendeu que eu fosse, mas isso nunca poderia ter acontecido sem o favor do Senhor. Por exemplo, quando iniciamos o nosso ministério na televisão, em 1993, praticamente ninguém tinha ouvido falar de Joyce Meyer; eu sabia que precisaríamos de muito favor de Deus se quiséssemos entrar em estações de tevê de qualidade ao redor do mundo. Eu sabia que Deus teria de abrir as portas para nós. Eu estava disposta a passar por elas com ousadia, mas Deus teria de abri-las e não apenas me conceder favor junto aos proprietários e administradores das estações de televisão, mas também junto à audiência que iria assistir ao programa.

Sou uma mulher muito ousada, direta, que diz as coisas como as vejo. Muitas pessoas não lidam muito bem com esse tipo de personalidade, de modo que eu sabia que precisava de favor. Eu precisava que Deus mostrasse às pessoas o meu coração e as ajudasse a acreditar que eu queria ajudá-las.

Creio que todos nós temos alguns traços de personalidade que podem repelir as pessoas; portanto, orar pedindo favor é algo sábio a se fazer. Quando Deus nos concede favor, as pessoas nos favorecem — e muitas vezes sem nenhuma razão. Se três pessoas se candidatassem à mesma posição e todas fossem igualmente qualificadas, aquela que está vivendo debaixo do favor de Deus a conseguiria.

Na verdade, o favor é um componente da graça. No Novo Testamento, a palavra *graça* e a palavra *favor* são traduzidas a partir da mesma palavra grega, *charis*.[1] Assim, a graça de Deus é o favor de Deus. E o favor de Deus é a graça de Deus — aquilo que faz com que as coisas que precisam acontecer em nossa vida aconteçam, através do canal da nossa fé —, o poder de Deus fazendo por nós algo que não podemos conquistar nem merecer.

Quando dizemos a alguém: "Você pode me fazer um favor?", estamos pedindo àquela pessoa que faça algo por nós que não conquistamos e pelo qual não pagamos. Estamos dependendo de que a bondade daquela pessoa se manifeste na forma de uma bênção, embora não haja nenhuma razão natural para que ela seja dada.

Ester, Daniel, as crianças hebreias, Rute e até o próprio Jesus receberam o favor de Deus que os fez ser aceitos e não rejeitados em situações específicas. Eles podem ter sido rejeitados em algumas áreas, mas foram aceitos no tocante àquilo que Deus os havia enviado para fazer.

Não tenho aceitação e favor total em todos os lugares aonde vou, assim como ninguém tem. Mas tenho experimentado grande favor no que se refere às pessoas receberem o meu ministério de ensino. Fui convidada para falar em algumas das melhores conferências do mundo atual, ao lado de grandes homens e mulheres de Deus a quem respeito e admiro. Sei que essa é uma manifestação do favor de Deus, e eu a valorizo muito.

Ester precisou de favor junto ao rei. Ela foi escolhida por Deus para levar libertação ao seu povo, que estava em perigo. Ela se levantou pela fé e se colocou em uma posição que era difícil para ela do ponto de vista natural. Deus lhe concedeu o favor que ela acreditou que receberia do Senhor, e Ester cumpriu o chamado de sua vida.

Rute era uma moabita, por essa razão não havia meios pelos quais ela pudesse ser aceita pelos israelitas sem o favor de Deus, porque os moabitas eram idólatras. Deus deu a ela esse favor porque ela o amou e confiou nele. Ela não fez nada especial para merecer isso, mas o seu coração era reto diante de Deus. Devido ao favor, ela casou-se com Boaz, *um homem muito rico* (Rute 2:1), e a linhagem ancestral deles gerou o rei Davi, de quem descendeu o próprio Jesus.

Creio que podemos ver que o favor é muito valioso e necessário para termos êxito em ser tudo o que Deus pretende que sejamos. Devemos orar pedindo o favor sobrenatural regularmente e ter a expectativa de recebê-lo. Para ser muito sincera, é muito divertido ver Deus nos favorecer em certas situações.

Sei que houve momentos nos quais você recebeu favor, e estou certa de que você deu muito valor a isso. Estou encorajando você a liberar a sua fé nessa área de uma maneira mais forte. Não tenha medo de pedir a Deus para lhe conceder favor.

Creio que existem muitas coisas que Deus faria por nós se fôssemos ousados o bastante para pedir. Não podemos aprender a orar de maneira ousada se não compreendemos a misericórdia. Todos cometemos erros, e a nossa recompensa deve ser punição, e não favor. É exatamente por isso que é preciso ousadia para comparecer perante o Senhor e primeiro pedir perdão, depois, misericórdia. O perdão cuida do nosso pecado, e a misericórdia nos abençoa embora não mereçamos. O perdão é, na verdade, uma manifestação da misericórdia de Deus. Ele nos perdoa porque é misericordioso e longânimo.

MISERICÓRDIA! MISERICÓRDIA! MISERICÓRDIA!

É por causa da misericórdia e da bondade do SENHOR *que não somos consumidos, porque as Suas [ternas] compaixões não falham. Elas se renovam a cada manhã; grande e abundante é a Sua estabilidade e fidelidade.*

Lamentações 3:22-23

Costumo dizer: "É bom que a misericórdia de Deus se renove a cada manhã, porque já usei todo o suprimento de ontem!"

Misericórdia é outra palavra intimamente relacionada às palavras *graça* e *favor*, podendo inclusive até substituí-las em certo sentido. No *American Dictionary of the English Language Noah Webster*, de 1828, *misericórdia* é definida como:

> Aquela benevolência, mansidão ou ternura de coração que predispõe uma pessoa a ignorar injúrias ou a tratar um ofensor melhor do que ele merece; a disposição que modera a justiça e induz uma pessoa ferida a perdoar transgressões e injúrias, a evitar a punição, ou infligir menos que a lei ou a justiça garantem. Nesse sentido, talvez não haja nenhuma palavra no nosso idioma que seja um sinônimo preciso de *misericórdia*. A que se aproxima mais é *graça*. Ela sugere benevolência, ternura, mansidão, piedade ou compaixão, e clemência, mas exercida somente para com os ofensores. A *misericórdia* é um atributo que distingue o Ser Supremo.[2]

Não sei quanto a você, mas estou extremamente feliz com a misericórdia de Deus. Não consigo imaginar onde eu estaria hoje se não fosse por ela. Certamente não estaria em um lugar agradável.

Todos nós merecemos punição, mas em vez disso Deus nos concede misericórdia. Que Deus tremendo é este a Quem nós servimos! Os salmos estão cheios de referências à Sua misericórdia. O Salmo 107:1 é um exemplo: "Rendei graças ao SENHOR, porque ele é bom, e a sua misericórdia e bondade duram para sempre!"

Davi era um homem que amava muito a Deus, no entanto ele cometeu erros graves. Suas paixões o dominaram e fizeram com que ele cometesse adultério e fizesse um homem ser assassinado. Creio que Davi falava tanto sobre a misericórdia de Deus porque ele a havia experimentado em primeira mão em sua vida e em seu ministério.

A misericórdia de Deus perdoa e restaura, e só uma pessoa como Davi, que foi honesto ao se autoavaliar, pode dizer verdadeiramente: *Rendei graças ao S*ENHOR*, porque ele é bom, e a sua misericórdia e bondade duram para sempre!*

MISERICÓRDIA E MINISTÉRIO

Mas Paulo escolheu Silas e partiu, sendo encomendado pelos irmãos à graça (o favor e a misericórdia) do Senhor. E ele passou pela Síria e Cilícia, estabelecendo e fortalecendo as igrejas.

Atos 15:40-41

A partir desse versículo fica óbvio que os crentes da Igreja Primitiva sabiam que o seu sucesso no ministério dependia da graça, do favor e da misericórdia de Deus. Seria bom que nos lembrássemos desse fato em nossos ministérios. Fazemos muito mais progresso dependendo de Sua graça, Seu favor e Sua misericórdia do que dependendo das nossas próprias boas obras ou dos nossos esforços para *merecer* a ajuda de Deus.

Nossos ministérios não crescem e prosperam devido à nossa bondade, mas à bondade de Deus. Ele é todo bondade, ao passo que nós precisamos dizer como Paulo em Romanos 7:18: "... eu sei que em mim, isto é, na minha carne, não habita bem nenhum..."

Como ministros do Evangelho de Jesus Cristo, é imperativo que sejamos misericordiosos, mas é impossível sermos misericordiosos se não aprendemos que nós mesmos precisamos receber misericórdia e se não praticamos recebê-la do Senhor. São as nossas fraquezas e falhas que fazem com que tenhamos compaixão dos fracos e dos que erram.

Estou certa de que se eu fosse perfeita, esperaria que todos fossem perfeitos também. Quando tenho um lapso de memória com relação aos meus erros, às vezes me surpreendo sendo dura demais com os outros. Nesses momentos, Deus é obrigado a me trazer à memória, mais uma vez, minhas próprias fragilidades. Ele sabe como ficar nos bastidores e permitir que nos envolvamos em problemas suficientes para nos mantermos humildes e capazes de sermos usados. Ele recua e permite que as nossas fraquezas venham à tona de modo que precisemos confiar nele e não em nós mesmos.

O versículo escrito pelo grande apóstolo Paulo em 2 Coríntios evidencia isso:

> *Porque não queremos que vocês estejam desinformados, irmãos, acerca da aflição e sofrimento opressor que nos sobreveio na [província da] Ásia, como fomos tão completamente e insuportavelmente oprimidos e esmagados que desesperamos até da [própria] vida.*
>
> *Na verdade, sentimos dentro de nós que havíamos recebido a [própria] sentença de morte, mas isso foi para nos impedir de confiar em nós mesmos e depender de nós mesmos e não de Deus, que ressuscita os mortos.*
>
> 2 Coríntios 1:8-9

O próprio Jesus deu instruções com relação à importância de sermos misericordiosos, quando disse aos líderes religiosos do Seu tempo: "Vão, e aprendam o que isto significa: Desejo misericórdia [isto é, prontidão para ajudar os que estão com problemas] e não sacrifício e vítimas sacrificiais. Porque vim não para chamar e convidar [ao arrependimento] os justos (aqueles que são retos e estão em posição correta diante de Deus), mas os pecadores (os que erram e todos os que não estão livres do pecado)" (Mateus 9:13).

Sob a Velha Aliança, quando o povo pecava, tinha de fazer sacrifícios para fazer expiação pelos seus pecados. Nessa passagem do Evangelho de Mateus, Jesus estava apresentando a Nova Aliança, que inclui a libertação da necessidade do sacrifício. Jesus se tornou o sacrifício definitivo e perfeito para todos aqueles que creem, e Ele agora nos instrui a recebermos a misericórdia dele pelas nossas falhas e a darmos misericórdia a outros que falharem.

Isso não significa que não há correção ou punição pelo pecado, mas Deus sempre tenta nos atrair à justiça com Seu amor e Sua misericórdia antes de tratar mais duramente conosco. Podemos entender esse princípio melhor quando pensamos em nossos filhos.

Eu disse muitas vezes: "Primeiramente dou aos meus filhos a minha palavra. Se derem ouvidos, fica tudo certo. Se eles não ouvirem e se envolverem em problemas, demonstrarei misericórdia e repetirei o que já havia dito, e vou repetir de novo, de novo e de novo. Mas, finalmente, se eles não derem atenção à minha palavra, vou agir de maneira prática." Não faço isso porque quero, mas porque é necessário para que eu possa ajudá-los.

Ser teimoso não compensa. Arrepender-se e receber a misericórdia de Deus é muito melhor do que suportar o Seu castigo.

Aprendi a adotar essa mesma abordagem com os nossos funcionários e com outras pessoas sobre as quais exerço autoridade. Sempre demonstro misericórdia primeiro, e com frequência por um período prolongado, mas sei em meu espírito quando é hora de tratar os problemas com mais severidade.

Algumas pessoas não conseguem apreciar a misericórdia de Deus até que tenham experimentado um pouco da Sua ira. Deus nunca fica furioso com o Seu povo; Sua ira é sempre contra o pecado na vida dele. Ele odeia o pecado, e precisamos aprender a odiá-lo também.

Assim como Deus, devemos odiar o pecado, mas amar o pecador.

Você pode ter um chamado para o ministério em tempo integral ou pode ser um cristão que deseja ministrar a outros na sua vida diária. Nesse caso, devo enfatizar ao máximo o quanto é importante você aprender a dar e receber misericórdia. Lembre-se de que você não pode dar algo que não possui.

Se não recebermos a misericórdia de Deus pelas nossas falhas, não teremos nenhuma misericórdia para dar a outros quando eles falharem conosco e nos decepcionarem. Não podemos levar as pessoas a terem um relacionamento poderoso com o Senhor através da dureza, da severidade, da rigidez e do legalismo. Precisamos mostrar a elas que o Deus a quem servimos é misericordioso, paciente e longânimo.

Deus é amor, e todas essas coisas que estamos discutindo são aspectos do Seu amor. Andar em amor é o alto chamado da vida de todo crente. Não há como ter um ministério verdadeiro se não andarmos em amor.

É impossível alguém ter um ministério poderoso se não demonstra o amor de Deus; também é impossível que alguém coloque sua fé em algo desconhecido. A graça, o favor e a misericórdia de Deus estiveram a minha disposição durante toda a minha vida, mas eu só comecei a recebê-los depois dos meus quarenta anos. Não podia recebê-los até então porque eu não sabia nada sobre eles nem acreditava neles.

Oro para que este capítulo tenha lhe dado um maior entendimento acerca das palavras *receber, graça, favor* e *misericórdia*. Se entendidas corretamente, elas liberarão poder em sua vida e em seu ministério.

9
CRENDO E RECEBENDO

...todas as coisas podem acontecer (são possíveis) para aquele que crê!

MARCOS 9:23

Em certo sentido, a palavra *receber* é um sinônimo da palavra *crer*. Não podemos receber alguma coisa se não acreditamos nela.

Na esfera espiritual, quando você e eu cremos em alguma coisa, nós a recebemos em nosso coração. Se uma manifestação física é necessária, ela virá depois de crermos — e não antes. No mundo, somos ensinados a acreditar somente naquilo que vemos, mas no Reino de Deus precisamos aprender a primeiro crer para só então ver manifesto aquilo em que acreditamos (aquilo que recebemos e admitimos em nosso coração).[1]

Sei, com base na Bíblia Sagrada, que Deus tem um bom plano para cada um de nós. Comecei a crer nisso com determinação há vários anos, e agora estou experimentando essa verdade. O bom plano para mim estava disponível o tempo todo, mas durante a maior parte da minha vida eu não acreditava nele, portanto, não podia recebê-lo.

O Senhor está disposto a pegar cada coisa ruim que nos aconteceu e transformá-la em algo bom, se tão-somente crermos.

CRER É RECEBER!

O Espírito do Senhor está sobre mim, porque o Senhor me ungiu e me qualificou para pregar o Evangelho das boas novas aos mansos, aos pobres e aos aflitos; Ele me enviou para curar os quebrantados, para proclamar libertação aos cativos [físicos e espirituais] e abertura da prisão e dos olhos daqueles que estão presos; para proclamar o ano aceitável do Senhor [o ano do Seu favor] e o dia da vingança do nosso Deus, para consolar todos os que choram.

Para dar [consolo e alegria] àqueles que estão de luto em Sião — para dar a eles um ornamento (uma guirlanda ou diadema) de beleza em vez de cinzas, o óleo de alegria em vez de pranto, as vestes [expressivas] do louvor em vez de um espírito angustiado, oprimido e abatido — para que eles possam ser chamados carvalhos de justiça [altos, fortes e magníficos, distintos pela retidão, justiça e posição reta diante de Deus], plantados pelo Senhor, para que Ele possa ser glorificado.

Isaías 61:1-3

Ao longo dos anos, apeguei-me a passagens da Bíblia como essa, assim como a outras, e descobri por experiência própria que crer na Palavra de Deus de forma consistente acabará transformando os maus momentos em algo bom. Muitas coisas ruins aconteceram comigo e Satanás usou-as para me tornar amarga com relação à vida e às pessoas. Eu estava aprisionada no meu passado, porque não acreditava que tinha um futuro. No entanto, tão logo passei a crer, fui liberta do passado e comecei a progredir em direção às boas coisas que Deus tinha em mente para mim. Nem tudo aconteceu de forma imediata, nem vi todas as mudanças se manifestarem logo, mas crer me deu uma esperança renovada que me manteve seguindo em frente dia após dia. Lentamente, mas com segurança, comecei a ver as mudanças ocorrerem em minha vida, e cada mudança me encorajava a crer mais.

Crer é a chave para receber de Deus!

Independentemente do que tenha lhe acontecido no passado, se você crer, pode receber o bom futuro que está reservado para você em Jesus Cristo, que veio para fazer a vontade de Seu Pai que está no céu.

CRISTO EM VOCÊ, A ESPERANÇA DA GLÓRIA!

O mistério que estava oculto por eras e gerações [dos anjos e dos homens], mas que agora é revelado ao Seu povo santo (os santos), aos quais Deus se agradou em dar a conhecer quão grandes para os gentios são as riquezas da glória deste mistério, que é Cristo dentro de vocês e entre vocês, a Esperança [de concretizar] da glória.

Colossenses 1:26-27

Você e eu só podemos entender e experimentar a glória de Deus em nossa vida por causa de Cristo em nós. Ele é a nossa esperança de ver coisas melhores.

A glória de Deus é a Sua excelência manifesta. Como filhos de Deus, temos o direito comprado pelo sangue de experimentar o melhor que Deus planejou para nós. Satanás luta furiosamente contra o plano de Deus na vida de cada um de nós, e a sua principal arma é o engano. Quando somos enganados, acreditamos em algo que não é verdade. E muito embora não seja verdade, para nós parece ser porque é nisso que acreditamos.

Quando olhamos para nós mesmos e para a nossa capacidade, nos sentimos derrotados, mas lembrar que Cristo está em nós é a nossa esperança de concretizar a glória. Isso nos mantém encorajados o suficiente para avançar em direção a coisas melhores. Nós nos limitamos quando olhamos somente para nós mesmos e deixamos de ver Jesus.

Em João 11:40 Jesus disse a Marta: "Eu não lhe disse e lhe prometi que se você acreditasse e confiasse em Mim, você veria a glória de Deus?" O Senhor destinou a Sua Igreja para a glória. Ele está voltando para uma Igreja gloriosa (Efésios 5:27). Podemos ser pessoas excelentes com atitudes excelentes, pensamentos excelentes e palavras excelentes. A glória de Deus pode se manifestar em nós e sobre nós, mas somente se acreditarmos que isso é possível.

Deus está procurando alguém que creia e receba. Comece a esperar mais da glória dele em sua vida. Ele está esperando para manifestá-la a você e através de você!

RECEBENDO A FORÇA DE DEUS

Ninguém te poderá resistir todos os dias da tua vida. Assim como fui com Moisés, assim serei contigo; não te deixarei, nem te desampararei.

Josué 1:5

Costumo pensar em Josué e em como ele deve ter se sentido quando Deus lhe disse que ele ocuparia o lugar de Moisés e conduziria os israelitas a entrar na Terra Prometida. Moisés era um líder impressionante. Quem se disporia a tentar ocupar o seu lugar?

Deus disse a Josué que ele teria êxito, não por causa de nada que ele tivesse feito no mundo natural, mas porque Deus era com ele. Moisés teve êxito somente porque Deus era com ele. Deus disse a Josué que a mesma coisa lhe aconteceria se ele cresse. Deus continuou encorajando Josué a ser forte e confiante, a ter coragem, e não medo. Em outras palavras, Ele continuou dizendo a Josué para *crer*!

Deus pede a você e a mim para colocar a nossa fé nele e para crer que podemos fazer qualquer coisa que Ele nos peça para fazer. Ele é poderoso para nos fazer prosseguir e ficar firmes. Ele nos sustentará e nos impedirá de falhar.

A força de Deus está à nossa disposição sempre que precisarmos dela. Nós a recebemos quando cremos nela, e na promessa que Deus fez de dá-la a nós. Se acreditarmos que somos fracos, então só manifestaremos fraqueza, mas a Bíblia diz: "... diga o fraco: eu sou forte..." (Joel 3:10). Quando podemos dizer que somos fortes com o coração convicto, embora possamos ser fracos em nós mesmos, o Senhor será forte em nós — teremos vitória em nossa vida!

OS CRENTES PRECISAM CRER!

Tenho força para todas as coisas em Cristo que me fortalece [estou pronto para qualquer coisa e sou capaz de qualquer coisa através Dele que me infunde força interior; sou autossuficiente na suficiência de Cristo].

Filipenses 4:13

Amo Filipenses 4:13. Esse versículo me encorajou muitas vezes na vida. Aprendi a crer que, com Cristo, estou pronta para qualquer coisa que surgir no meu caminho, pois Ele me fortalece.

Só porque não nos *sentimos fortes* quando pensamos em determinada situação, isso não significa que não *seremos fortes* quando precisarmos ser. A força de Deus vem pela Sua graça, por meio da nossa fé, mas Ele raramente nos dá a força que precisamos antes que realmente precisemos dela. Portanto, precisamos confiar nele — essa é a nossa parte. Deus nos pede para confiar nele, e à medida que fazemos isso, Ele faz a parte que não podemos fazer.

Ao acordar pela manhã, não sabemos ao certo o que pode acontecer conosco ao longo do dia. Todos nós esperamos ter dias tranquilos, nos quais todos os nossos desejos sejam atendidos, mas sabemos, pela nossa experiência, que nem sempre é assim. Vivemos em um mundo real, com problemas reais. Nosso inimigo, o diabo, é real e ele está trabalhando em todas as pessoas a quem possa usar para gerar desânimo, medo e fracasso em nós porque pertencemos a Deus e colocamos a nossa confiança nele.

DEUS É NOSSO REFÚGIO E NOSSA FORTALEZA

Direi do Senhor: "Ele é o meu Refúgio e a minha Fortaleza, o meu Deus; Nele me ampararei e Dele dependerei, e Nele confio [totalmente]!"

...Não temerás o terror da noite, nem a seta (os estratagemas malignos e as difamações dos maus) que voa de dia, nem a peste que se

propaga nas trevas, nem a destruição e a morte súbita que surpreendem e assolam ao meio-dia.

Salmos 91:2,5-6

O Salmo 91 nos ensina que, em razão da nossa confiança em Deus, não precisamos temer as surpresas repentinas do diabo que nos assolam. Independentemente do que surgir em nosso caminho, devemos *crer no mesmo instante* que estamos capacitados a vencer. Se confiarmos em Deus, Ele nos fará fortes, e não seremos derrotados.

Precisamos nos lembrar de que estamos prontos para qualquer coisa, capacitados para qualquer coisa por intermédio de Cristo, que nos enche de força interior. A força interior é, na verdade, mais valiosa que a força exterior; precisamos nos posicionar em nosso coração e nos recusar a acreditar nas mentiras de Satanás.

Paulo orou pela igreja de Éfeso para que ela fosse fortalecida com todo o poder e força no homem interior (Efésios 3:16). Ele sabia que se eles permanecessem fortes em seu interior, seriam capazes de lidar com qualquer coisa que viesse contra eles exteriormente e seriam capazes de fazer qualquer coisa que precisassem.

ESPERE NO SENHOR

Mas os que esperam no SENHOR [que têm expectativa, procuram por Ele e esperam Nele] mudarão e renovarão as suas forças e poder; eles elevarão suas asas e subirão [para perto de Deus] como águias [subirão até o sol]; eles correrão e não se cansarão, andarão e não desmaiarão nem se fatigarão.

Isaías 40:31

Isaías nos ensina a esperar no Senhor quando sabemos que a nossa força precisa ser renovada. Esperar em Deus significa passar tempo com Ele lendo a Sua Palavra e na Sua Presença.

Há certas pessoas de quem podemos extrair forças simplesmente estando próximos a elas. A própria presença delas, a maneira como falam e encaram a vida, parece fazer com que nos sintamos melhor quando estamos desanimados ou abatidos. Do mesmo modo, há outras que sempre nos fazem sentir pior. Elas conseguem ver um lado negativo em tudo.

Quando você e eu precisarmos ser fortalecidos, devemos passar tempo com Deus e com pessoas cheias do Seu Espírito. Passar tempo na Presença de Deus é como sentar-se em uma sala onde há um doce perfume exalando. Se ficarmos ali por um bom tempo, levaremos aquela fragrância conosco quando sairmos. Ela estará nas nossas roupas, em nossos cabelos e até na nossa pele.

Moisés foi um homem de oração; ele passava muito tempo tendo comunhão com Deus e falando com Ele. Ele sabia que se Deus não o ajudasse, ele fracassaria miseravelmente. Por causa da fidelidade de Moisés em buscar a Deus, ele recebeu uma mensagem reconfortante: "E o SENHOR disse: a Minha Presença irá contigo, e Eu te darei descanso" (Êxodo 33:14).

Moisés teve de enfrentar muitos inimigos hostis, além de tentar conduzir o povo de Deus através do deserto até a Terra Prometida. Não podemos sequer imaginar a magnitude da tarefa que lhe fora proposta. Havia milhões de israelitas — eles murmuravam, reclamavam e criticavam Moisés na maior parte do tempo. Aquela era a situação ideal para Moisés perder a paz, mas Deus lhe disse: "A Minha Presença irá contigo, e Eu lhe darei descanso." Moisés creu em Deus e, por causa disso, recebeu a promessa do Senhor. Estou certa de que houve momentos em que a fé dele foi levada ao limite, vezes em que a impressão ou a sensação era de que Deus não estava com ele.

De acordo com Hebreus 11:1, a fé é a evidência das coisas que se esperam, mas não se veem; é a convicção da realidade dessas coisas. Ainda fico absolutamente impressionada quando vejo a rapidez com que posso deixar de ter uma postura negativa, e passar a ter uma postura positiva apenas fazendo um pequeno ajuste naquilo em que creio.

Podemos receber de Satanás acreditando no que ele diz, ou podemos receber de Deus crendo na Sua Palavra. Todos nós cremos em alguma coisa, melhor então que seja em algo bom.

Lembre-se de que *não custa nada acreditar!* Experimente e você verá a sua vida mudar de uma maneira impressionante.

VOCÊ PRECISA DE UM CHECK-UP DO PESCOÇO PARA CIMA?

Bem-aventurado (feliz, afortunado, digno de ser invejado) é o homem cuja força está em Ti, em cujo coração estão as estradas para Sião.

Passando pelo Vale do Pranto (Baca), ele faz dele um lugar de mananciais; a primeira chuva também enche [os lagos] de bênçãos. Eles vão de força em força [crescendo em vitorioso poder]; cada um deles aparece perante Deus em Sião.

Salmos 84:5-7

Quando a nossa força está em Deus, até os momentos difíceis na vida podem ser transformados em bênçãos. É por isso que precisamos manter constantemente nossa mente e nosso coração focados nele e não nas nossas circunstâncias.

É sábio fazer ocasionalmente um inventário dos nossos pensamentos. Talvez tenhamos perdido a nossa alegria e não estejamos entendendo o motivo.

Descobri que quando estou infeliz, me sinto tentada a culpar algo ou alguém que não está me satisfazendo como acho que deveria. Esse tipo de pensamento equivocado pode fazer com que fiquemos andando em círculos ao redor da mesma montanha sem cessar, sem fazer nenhum progresso no sentido de desfrutar as promessas de Deus (Deuteronômio 2:3).

Na maior parte do tempo, quando estou infeliz, é porque não estou pensando da maneira correta. Ainda que esteja passando por situações difíceis em minha vida, posso permanecer feliz se estiver pensando da maneira certa a respeito disso. Se as pessoas não estão satisfazendo minhas necessidades, posso ficar irada com elas ou posso depender de Deus para suprir tudo o que preciso.

Satanás quer que *pensemos* que nada nunca irá mudar, que as coisas só irão piorar. Ele quer que façamos uma lista contendo cada decepção que já tivemos em nossa vida e *que pensemos* no quanto fomos maltratados. No entanto, jamais cumpriremos o nosso destino nem teremos êxito em ser tudo o que Deus planejou para nós se não pensarmos da maneira adequada.

Não pense de acordo com o passado, pense de acordo com a Palavra de Deus.

Aquilo em que você acredita determina se você receberá a manifestação da plenitude em sua vida.

Muitas pessoas testemunham sobre o vazio e a sequidão de suas vidas.

Deus planeja nos dar satisfação, plenitude e inteireza. Nunca me senti satisfeita ou completa em minha vida até estar fazendo o que Deus havia ordenado que eu fizesse. A plenitude só vem quando estamos no centro da vontade de Deus. Se você e eu não estivermos em concordância com Deus acerca daquilo no qual devemos crer, nunca progrediremos na direção do cumprimento do nosso destino.

VOCÊ PRECISA TER UM SONHO!

Onde não há visão [revelação redentora de Deus], o povo perece; mas aquele que guarda a lei [de Deus, que inclui a lei do homem] — bem-aventurado (feliz, afortunado e digno de ser invejado) é.

Provérbios 29:18

Aqueles que têm um passado triste precisam ser capazes de acreditar em um futuro brilhante. O escritor de Provérbios disse que onde não há visão, o povo perece.

Uma visão é algo que vemos na nossa mente, "um panorama mental", como diz uma definição. Pode ser algo que Deus planta em nós sobrenaturalmente ou algo que vemos deliberadamente. Ela envolve o que pensamos a nosso respeito e a respeito do nosso passado e futuro. Lembre-se do que eu disse anteriormente: *não custa nada acreditar.*

Algumas pessoas têm medo de acreditar. Pensam que podem estar se predispondo à decepção. Elas não entenderam que ficarão eternamente decepcionadas se não acreditarem.

Creio que se eu acreditar em muitas coisas e receber ainda que seja a metade delas, estarei melhor do que estaria se não acreditasse em nada e recebesse todo esse "nada".

Desafio você a começar a acreditar em coisas boas. Creia que você pode fazer qualquer coisa que precise em sua vida por intermédio de Cristo. Não seja alguém que desiste fácil. Deixe a sua fé voar. Seja criativo com os seus pensamentos. Faça um inventário e liste os pensamentos que você tem abrigado. O que você tem pensado ultimamente? Responder a essa pergunta de maneira honesta pode ajudá-lo a entender por que você não tem recebido o que deseja.

10
LEVANTANDO-SE INTERIORMENTE

> Combati o bom combate, completei a carreira, guardei a fé.
>
> **2 TIMÓTEO 4:7**

Certa vez ouvi a história de um garotinho que estava na igreja com sua mãe e que ficava se levantando sempre na hora errada. Sua mãe lhe dizia repetidamente para se sentar, até que, por fim, ficou muito aborrecida com ele e lhe disse enfaticamente: "Sente-se agora ou você vai ter problemas quando chegarmos em casa!" O garotinho olhou para ela e disse: "Vou me sentar, mas por dentro ainda vou estar de pé."

Tenho a impressão de que, na vida, sempre há alguém tentando fazer com que nos sentemos. Eles nos dizem para ficarmos quietos, para não sermos ouvidos ou notados. Eles querem simplesmente que sigamos um roteiro escrito por outra pessoa e que nos esqueçamos do que intimamente queremos.

Ao longo dos anos, muitas pessoas tentaram me impedir de cumprir o chamado que estava sobre a minha vida. Houve aqueles que não entendiam o que eu estava fazendo e as minhas razões para fazê-lo, então eles me julgaram injustamente. Algumas vezes a crítica e o julgamento dessas pessoas fizeram com que eu quisesse me "sentar" e esquecer a visão que Deus tinha me dado. Houve outros que ficaram constrangidos por ter uma "mulher pregadora" como amiga ou parente; eles queriam que eu me "sentasse" para que a reputação deles não fosse afetada negativamente. Muitos me rejeitaram, e a dor da rejeição fez com que me sentisse tentada a "sentar" e acompanhar o grupo silenciosamente.

Mas eu tinha um grande Deus de pé dentro de mim, e "sentar" não era uma opção para mim. Ele fez com que eu me levantasse interiormente e fosse determinada em seguir adiante, independentemente do que os outros pensassem, dissessem ou fizessem. Nem sempre foi fácil, mas aprendi com a minha experiência que ficar frustrado e não se sentir realizado por estar fora da vontade de Deus é mais difícil do que avançar em meio a toda oposição.

Ficar de pé interiormente não significa se rebelar contra os que não nos entendem ou ser agressivo com eles. Significa ter uma confiança interior silenciosa que nos leva até à linha de chegada. É saber dentro de nós que, apesar do que está acontecendo do lado de fora, tudo vai ficar bem porque Deus está em cena, e quando Ele está presente nada é impossível.

Para termos êxito em ser nós mesmos, precisamos ser fiéis a Deus o tempo todo, até o fim. Nunca podemos desistir.

Creio que provavelmente existem poucas pessoas que foram plenamente bem-sucedidas em ser tudo o que podem ser. A oposição é grande demais. É fácil ser derrotado. Entretanto, aqueles que estão determinados em permanecer de pé interiormente, não importa o que aconteça, finalmente cruzarão a linha de chegada! Eles poderão dizer com Jesus: "Pai, glorifica-me agora, porque completei a obra que Tu me deste para fazer" (João 17:4-5).

DUAS COISAS QUE INTERROMPEM A FÉ

*Mas Cristo (o Messias) foi fiel sobre a Sua casa [a casa de Seu próprio Pai] como Filho [e Senhor dela]. E nós é que somos [agora membros] desta casa, **se** nos agarrarmos com firmeza alegre e exultante à nossa confiança e ao nosso senso de triunfo até o fim na nossa esperança [em Cristo].*

Hebreus 3:6, grifo meu

Enfatizei a palavra *se* nessa passagem porque muitas vezes não gostamos de prestar atenção aos "*se*" e aos "*mas*" da Bíblia. Em versículos como esse, vemos o que Deus fará, *se* fizermos o que nos cabe.

Você e eu temos o tremendo privilégio de ser membros da casa do Pai, *se* permanecermos firmes até o fim. Ir ao altar e fazer uma oração entregando sua vida a Cristo é só o começo da nossa caminhada com Ele; precisamos seguir em frente e permanecer na fé — precisamos continuar crendo nele!

Confiança e fé são praticamente sinônimos; algumas vezes elas podem ser intercambiadas sem que se perca o sentido do que está sendo dito. Eu poderia dar uma definição sofisticada de fé, mas basta dizer que fé é confiança em Deus. Em termos simples, fé é saber que se Deus disse que fará alguma coisa, Ele o fará. Ainda que pareça que não, Ele está agindo neste momento, e as coisas virão a termo no tempo dele, *se* permanecermos confiantes nele.

As únicas duas coisas que podem interromper a fé são: 1) A manifestação do que se crê ou 2) a manifestação da dúvida e da incredulidade. A partir do momento que vemos a concretização daquilo no qual temos crido, não precisamos mais da fé, portanto ela cessa nesse caso. Da mesma forma, a manifestação da dúvida e da incredulidade — isto é, receber as mentiras de Satanás e crer nelas — interrompe a fé, de modo que ela deixa de existir.

É por isso que a nossa fé precisa continuar, mesmo quando parece que tudo e todos estão contra nós. Em Cristo, podemos permanecer de pé, firmes interiormente, porque sabemos que a nossa verdadeira vida está em nós, não nas pessoas ou nas circunstâncias que nos cercam.

CONFIE EM DEUS, E NÃO NA CARNE

> *Por que nós [cristãos] somos a circuncisão, que adoramos a Deus em espírito e pelo Espírito de Deus, e exultamos e nos gloriamos em Jesus Cristo e nos orgulhamos Dele, e não colocamos a nossa confiança ou dependência [no que somos] na carne, nos privilégios externos, nas vantagens físicas e nas aparências externas.*
>
> Filipenses 3:3

Confiança em Deus é algo totalmente diferente de autoconfiança. Como mencionei, nós, crentes, não devemos pôr a nossa confiança na carne. No meu ministério, trabalho para destruir a autoconfiança das pessoas e levá-las a um ponto em que a confiança delas esteja em Cristo e somente nele. Deus se opõe à nossa atitude independente, e Ele tratará conosco de forma intensa até que sejamos totalmente dependentes dele.

Devemos ter um senso de triunfo interior, mas ele só pode ser encontrado em Cristo.

TRIUNFO EM CRISTO

Mas graças a Deus, que em Cristo sempre nos conduz em triunfo [como troféus da vitória de Cristo] e através de nós exala e torna evidente o aroma do conhecimento de Deus por toda parte.

2 Coríntios 2:14

Como vimos no capítulo 5, de acordo com Romanos 8:37 somos mais que vencedores em Cristo. Creio que somos mais que vencedores quando sabemos que já temos a vitória antes mesmo que o problema surja. Esse tipo de confiança é uma certeza interior, não em nós mesmos, mas no Deus que habita em nós.

Meu marido Dave não é um homem que tem medo das circunstâncias. Elas não o assustam nem fazem com que ele mude de posição. Ele tem uma confiança silenciosa de que, não importa o que aconteça, Deus cuidará disso *se* mantivermos a nossa confiança nele. Dave definitivamente tem esse senso de triunfo interior, uma atitude mais que vencedora. Ele é definitivamente um homem que permanece de pé em seu interior independentemente do que se levante contra ele do lado de fora.

Ao longo dos anos, eu o observei em muitas situações diferentes, e ele tratou de todas elas da mesma maneira. Ele lança os seus cuidados sobre Deus e continua confiando e crendo que todas as coisas cooperam para o bem daqueles que amam a Deus e são chamados de acordo com o Seu propósito (Romanos 8:28). Quando Dave tenta fazer algo e não dá certo, quando alguém o rejeita, quando alguém julga ou critica o nosso ministério, quando estamos passando por dificuldades financeiras, ou mesmo quando ele e eu estamos com dificuldades no nosso relacionamento, ele sempre mantém aquela confiança silenciosa de que no fim tudo sairá bem.

Recentemente, falei com uma amiga que passou muito tempo de sua vida se preocupando com seus dois filhos. Um se casou há alguns anos e tem uma vida ótima, e a outra está se preparando para se casar em breve com um homem maravilhoso. Chamei a atenção dela para a quantidade de tempo que perdemos nos preocupando com nossos filhos, e como isso é realmente um desperdício de energia. Comentei sobre como as coisas geralmente acabam se ajeitando no final e como a preocupação só contribui para o problema; ela não traz a resposta.

Em outro momento da minha vida, passei pela mesma situação que essa mãe experimentou. Eu me preocupava com certas questões relativas a cada um dos meus filhos quando eles eram pequenos. Agora eles estão crescidos, e todas as coisas com as quais eu me preocupava se resolveram.

Como expliquei, eu me preocupava com minha filha mais velha Laura, porque ela não gostava de estudar e tirava notas abaixo da média. Ela era uma adolescente indisciplinada — indisciplinada no que dizia respeito aos seus pertences pessoais e finanças. Ela queria se casar jovem e ter filhos, mas eu pensava que ela não cuidava nem de si mesma, quanto mais de uma família! Quando ela se casou aos dezenove anos, eu a censurava tanto que o nosso relacionamento era tudo, menos bom. Dave me dizia sem cessar: "Joyce, Laura vai ficar bem. Ela vai conseguir."

Agora Laura está na casa dos trinta anos e é tão organizada que isso me ajuda a me manter organizada. Seu casamento é ótimo, ela tem dois filhos maravilhosos e tudo está bem. Ela passou por tempos difíceis aprendendo algumas das lições que precisava aprender depois que saiu de casa, mas aprender coisas da maneira difícil geralmente é a melhor maneira — em geral, nunca esquecemos o que aprendemos por experiência própria.

Enquanto eu estava desmoronando por dentro de preocupação, Dave estava de pé interiormente e se recusando a deixar que as circunstâncias o governassem. Eu creio que somos mais do que vencedores quando não tememos os problemas. Nenhum de nós tem uma vida tranquila, totalmente isenta de problemas — por essa razão, se nos curvarmos ao medo, sempre haverá algo a temer.

AVANCE E DESCUBRA

"... avance para o fundo e lançai as vossas redes para pescar."
Lucas 5:4

A única maneira de chegar ao nosso destino final e ter sucesso em sermos nós mesmos é dar muitos, muitos passos de fé. Mas avançar rumo ao desconhecido — a algo que nunca fizemos antes — pode nos fazer tremer na base.

Por sentirem medo, muitas pessoas nunca dão um "passo de fé", e assim nunca "descobrem" do que são capazes.

Creio que muito em breve Jesus voltará para Sua Igreja, e não acho que Ele tenha tempo para passar meses e meses convencendo cada um de nós a obedecermos quando Ele quer que avancemos rumo a alguma coisa. Creio que quanto mais avançarmos rumo ao que chamamos "os últimos dias", mais Deus irá requerer passos de obediência radicais.

Muitas pessoas não estão vivendo a vontade de Deus para sua vida porque não querem correr riscos. Não quero chegar ao fim da minha vida e dizer, "estou em segurança, mas estou arrependida".

Há um ditado que diz: "O seguro morreu de velho." Não tenho certeza de que isso funcione com Deus. Se eu tivesse tentado não correr riscos o tempo todo, estou certa de que não estaria onde estou hoje. Eu nunca teria plantado as sementes de obediência em minha vida que geraram a colheita de que agora desfruto no meu ministério e em muitas outras áreas da minha vida.

Não estou sugerindo que todos nós devamos começar a fazer uma série de tolices sem sabedoria, mas sei que nem tudo o que

Deus quer que façamos faz sentido para a mente natural. Você e eu precisamos aprender a ser guiados pelo discernimento no nosso homem interior (o espírito), e não pela nossa mente carnal, ou pelo que as outras pessoas nos sugerem. Quando damos um passo de fé, devemos fazer tudo que pudermos para ter certeza de que é à voz de Deus que estamos respondendo em fé e obediência, e não simplesmente a algum pensamento louco, captado por nós, que foi plantado por Satanás para tentar nos seduzir e finalmente nos destruir.

Dave e eu descobrimos que a melhor política é a do "um passo de cada vez". Quando temos algo em nosso coração, oramos por algum tempo e esperamos por algum tempo. Se aquilo permanecer no nosso coração, damos um passo. Se funcionar e virmos que Deus está ungindo o que fizemos, damos outro passo.

As pessoas que se envolvem em problemas graves geralmente não fazem isso a partir de um grande salto; mais frequentemente, isso é resultado de vários pequenos passos errados. Deus as advertiu ao longo do caminho e tentou mantê-las longe dos problemas, mas elas avançaram na carne (seguindo os próprios desejos carnais), tentando fazer o que gostariam que fosse a vontade de Deus.

Eis um bom exemplo da maneira certa de dar um passo de fé. Quando Dave e eu passamos a crer que Deus estava nos dizendo para entrar na televisão, não saímos por aí assinando contratos com várias estações no início. Primeiro, entramos em contato com os nossos parceiros e pedimos que eles investissem no equipamento de que precisávamos, *se* eles sentissem que Deus estava dirigindo-os a fazer isso. Sabíamos que se Deus estava realmente nos dizendo para entrar na televisão, então Ele também diria a outros para nos ajudar.

Quando todo o dinheiro de que precisávamos estava disponível, demos outro passo. Fomos a certo número de estações de tevê e voltamos a falar com os nossos parceiros de ministério, pedindo a eles para nos ajudar novamente comprometendo-se em investir determinada quantia que nos permitiria pagar as contas para ter um horário na grade de programação durante os primeiros meses em que o nosso programa estava se estabelecendo. Mais uma vez eles responderam com aquilo que necessitávamos, e assim avançamos mais.

Ao longo dos anos acrescentamos outros canais de tevê, à medida que podíamos pagar por aqueles nos quais já estávamos. Não teríamos acrescentado novos canais se não pudéssemos pagar pelos anteriores.

Enquanto escrevo isto, tenho trinta e três livros publicados no mercado. Se eu tivesse escrito um ou dois e não tivesse vendido nenhum, não teria continuado a escrever novos livros.

Algumas pessoas se envolvem em problemas simplesmente porque são incapazes de admitir que cometeram um erro e se voltar para encontrar uma nova direção. É muito difícil se envolver em problemas sérios quando damos um passo de cada vez. Por outro lado, aqueles que não querem dar passos de fé já estão com sérios problemas, porque eles nunca realizarão nada na vida.

Outra medida de segurança que temos seguido é estar certos de que o nosso coração está no lugar correto com relação àquilo que estamos fazendo. Temos de ter certeza de que temos motivações puras e de que estamos fazendo aquilo unicamente porque cremos que é a vontade de Deus.

Algumas pessoas se metem em problemas porque fazem o que as outras pessoas acham que elas devem fazer. Outras fazem coisas para chamar a atenção ou para imitar o que veem outros fazer.

Muitos ministros estavam na televisão muito antes de mim. Na verdade, lembro-me de que muitas pessoas me disseram: "Por que você não vai para a televisão, Joyce?" ou "Joyce, você não quer estar na televisão?" Para ser sincera, eu não queria estar na televisão. Eu não queria ter esse tipo de responsabilidade financeira. Eu tinha um ministério muito bem-sucedido no rádio, e queria ficar na "zona de conforto". Mas quando Deus disse: "Quero que você vá para a televisão", Ele também encheu o meu coração de desejo.

As outras pessoas podem querer coisas para nós, mas precisamos querê-las nós mesmos, ou nunca avançaremos em meio às dificuldades que surgem quando se dá à luz algo novo.

Eu queria me certificar de que tinha a motivação correta para ir para a televisão. Deus não está procurando pessoas que querem ser estrelas — Ele está procurando pessoas que querem ajudar outras.

Sempre é bom dedicar algum tempo para examinar os nossos motivos. Sermos honestos com nós mesmos acerca de nossas motivações pode nos poupar de muitos fracassos.

Recentemente fomos muito encorajados por diversas pessoas a aumentar o alcance dos anúncios de nossas conferências. Embora seja verdade que as pessoas não irão às conferências se não souberem onde estamos, também é verdade que poderíamos desperdiçar muito dinheiro fazendo as coisas da maneira do mundo, o que não necessariamente funciona no Reino de Deus.

Deus tem Seus próprios caminhos!

Nós nos sentíamos bem com relação a algumas das coisas que nos eram sugeridas, e com relação a outras, não. Não acho que seja meu trabalho "me vender". Meu trabalho é obedecer a Deus, amar as pessoas, estar onde acredito que o Senhor quer que eu esteja e, depois de ter feito a minha parte anunciando o trabalho de maneira adequada, confiar nele para falar com as pessoas para que elas venham. Não lamentei o fato de não fazer algumas das coisas que as pessoas estavam sugerindo, nem percebi em mim a motivação correta para fazê-las, então decidi nem sequer tentar. Creio que a vontade de Deus honrará essa decisão e trará o crescimento que desejamos.

A OBEDIÊNCIA RADICAL MUITAS VEZES REQUER SACRIFÍCIO

> *... em verdade vos digo que ninguém há que tenha deixado casa, ou irmãos, ou irmãs, ou mãe, ou pai, ou filhos, ou campos por amor de Mim e do Evangelho, que não receba, já no presente, o cêntuplo de casas, irmãos, irmãs, mães, filhos e campos, com perseguições; e, no mundo por vir, a vida eterna.*
>
> Marcos 10:29-30

O ministério Life In The Word mantém um escritório na Austrália, e precisávamos de dois casais do nosso ministério para irem para lá administrar aquela filial. Para se mudarem para lá, os casais basicamente tiveram de abrir mão de tudo o que tinham e começar de novo. Teria sido dispendioso demais enviar uma enorme quantidade de pertences pessoais para tão longe.

Dois casais deram um passo de obediência ao sentirem que Deus estava falando aos seus corações que seriam eles que deveriam ir. Eles deram o passo de fé, mas para isso tiveram de fazer enormes sacrifícios pessoais. Eles tiveram de vender carros e móveis, deixar para trás família e amigos, bem como se separar das igrejas onde estavam profundamente arraigados. Tiveram de deixar a tudo e a todos que amavam para obedecer a Deus, se mudando para um lugar distante. Obviamente, apesar do amor deles por Deus e do desejo de fazer a Sua vontade, foi uma transição difícil.

Quando vamos para um lugar novo, geralmente nos sentimos sozinhos, temos a sensação de que tudo e todos à nossa volta são estranhos. Não nos sentimos à vontade ou "em casa". Mas esse tipo de obediência radical gera grandes lucros no que diz respeito à felicidade pessoal e ao contentamento que vem de saber que estamos dentro da vontade de Deus, e desfrutando as bênçãos materiais que Deus provê para nós de acordo com as promessas encontradas na Sua Palavra.

OS JUSTOS SOFRERÃO PERSEGUIÇÃO

Na verdade, todos quantos têm prazer na piedade e estão determinados a viver uma vida devota e piedosa em Cristo Jesus sofrerão perseguição [estão destinados a sofrer por causa da sua posição religiosa].
2 Timóteo 3:12

A Palavra de Deus nos diz que sofreremos perseguição. No Dicionário *Vine's Complete Expository Dictionary of Old and New Testament,* a palavra grega traduzida como *perseguir* é definida parcialmente como "pôr em fuga, afastar". Satanás gera oposição, cria problemas, provações e tribulações na esperança de nos afastar. Se tivermos a intenção de ter sucesso em sermos nós mesmos e em ser tudo o que Deus quer que sejamos, precisamos estar preparados para permanecer fortes em tempos de perseguição.

Se continuarmos de pé interiormente, Deus cuidará do exterior.

As igrejas carismáticas não se sentem muito confortáveis com a palavra *sacrifício* — mas essa palavra está na Bíblia. Em Marcos 8:34,

Jesus disse, na essência: "Se vocês quiserem Me seguir, terão de abrir mão da sua vida pessoal para fazer isso."

A EXIGÊNCIA E A RECOMPENSA DO SACRIFÍCIO

> *Ora [em Harã], o S<small>ENHOR</small> disse a Abrão: "Sai [para o teu próprio bem] da tua terra, da tua parentela e da casa de teu pai, e vai para a terra que Eu te mostrarei. E eu farei de ti uma grande nação, e te abençoarei [com aumento e favores abundantes] e farei o teu nome famoso e distinto, e tu serás uma bênção [dispensando o bem a outros]."*
>
> Gênesis 12:1-2

Vimos que Abrão — que mais tarde recebeu o novo nome de Abraão — teve de fazer um sacrifício quando Deus lhe disse para deixar a casa de seu pai e para ir para o lugar que Ele lhe mostraria mais tarde. Deus exigiu uma obediência radical por parte de Abrão, mas também lhe fez uma promessa radical.

Quando pensamos em sacrifício, precisamos sempre lembrar que, a partir daquilo que semeamos, Deus gera uma colheita. Quando somos chamados a fazer um sacrifício, não devemos nos sentir privados, mas privilegiados. Jesus sacrificou a própria vida por nós, e devemos seguir Seus passos (1 Pedro 2:21).

Não precisamos estar confortáveis o tempo todo. Nos Estados Unidos e em muitas outras partes do mundo, o povo de Deus está viciado no "conforto e na facilidade". É hora de deixar de lado essa acomodação e encarar a realidade, começando a fazer o que Ele nos pede para fazer, seja qual for o preço.

Não podemos esperar uma colheita radical em nossa vida se semearmos sementes de desobediência. Fiel à promessa de Deus, Abraão seguiu em frente para ser o pai de muitas nações e o pai da Velha Aliança. Considerando o número de pessoas que havia na terra naquela época, eu diria que essa foi uma grande honra para Abraão.

Existem alguns exemplos na Bíblia de ações extremamente radicais em obediência a Deus. Foi radical Ester deixar os planos que tinha para a sua vida e colocar tudo em jogo quando compareceu perante o rei sem ser convocada. Ester tinha a motivação correta e fez isso em obediência, portanto Deus lhe concedeu favor, e ela foi um instrumento para salvar sua nação de um desastre.

Foi radical Daniel continuar orando três vezes ao dia com as janelas abertas depois de ter sido advertido de que seria colocado na cova dos leões se o fizesse. Ele deu um passo radical de obediência e acabou sobrevivendo a três reis, tendo sido promovido por todos eles.

Foi radical o apóstolo Paulo voltar para o meio das mesmas pessoas que havia perseguido e pregar o Evangelho a elas. E se elas o tivessem atacado? Ele se tornou escravo de Jesus Cristo e, em suas próprias palavras, um *prisioneiro por amor a Ele* (2 Timóteo 1:8). Paulo recebeu aproximadamente dois terços do Novo Testamento por revelação de Deus. Vemos como Deus honrou os seus passos de obediência radical e sacrifício pessoal. Quando Deus o chamou, ele era um fariseu muito respeitado que desfrutava de prestígio e conforto pessoal. Os seus passos de obediência o fizeram passar fome, frio, ser caçado, espancado e aprisionado — mas ele conhecia o segredo de se levantar interiormente, e sua confiança silenciosa em Deus o levou ao longo de todo o caminho até o fim da jornada.

Paulo fez uma declaração poderosa quando disse: "Nenhuma dessas coisas me abalam; nem considero a minha vida preciosa para mim mesmo; contanto que eu complete a minha carreira com alegria..." (Atos 20:24). Esse deve ser o nosso testemunho também, como nos é dito na Palavra de Deus.

TERMINE O QUE VOCÊ COMEÇAR

> *Porque nós nos tornamos companheiros de Cristo (o Messias) e compartilhamos de tudo o que Ele tem para nós, se tão-somente mantivermos firme e inabalável até o fim a confiança que desde o princípio tivemos e a expectativa original garantida [em virtude da qual somos crentes].*
>
> Hebreus 3:14

> *Não abandoneis, portanto, a vossa confiança destemida, pois ela traz consigo uma grande e gloriosa compensação em recompensa.*
>
> Hebreus 10:35

> *Mas desejamos [fortemente e ardentemente] que cada um de vocês mostre a mesma diligência e sinceridade [por todo o caminho] em realizar e desfrutar a plena certeza e desenvolvimento da [sua] esperança até o fim.*
>
> Hebreus 6:11

Deveríamos meditar em todas as passagens bíblicas citadas e levá-las muito a sério. Deus não está interessado em nos ver começar coisas que nunca terminamos. É fácil começar, mas é preciso uma grande coragem para terminar. Ao começar algo novo, ficamos empolgados. Há muitas emoções — tanto nossas quanto daqueles que nos cercam — que nos servem de apoio. Quando as emoções se esvaem e tudo o que resta é muito trabalho árduo e a necessidade de uma paciência extrema, descobrimos quem realmente tem o que é preciso para alcançar o sucesso de fato.

Na mente de Deus, nunca teremos êxito se pararmos em algum ponto do caminho. Ele quer que terminemos o nosso percurso e que façamos isso com alegria!

Se você tem sido tentado a desistir, até mesmo recentemente — não faça isso! Se você não chegar ao fim do que está fazendo hoje, enfrentará os mesmos desafios na próxima tarefa que iniciar.

Algumas pessoas passam a vida inteira começando coisas novas e nunca terminando nada. Vamos tomar a decisão de sermos mais do que mera "estatística" entre aqueles que nunca atingiram seu pleno potencial.

Podemos começar com fé, mas devemos viver de fé em fé (Romanos 1:17). Em outras palavras, há muitos níveis ao longo do caminho que requerem uma fé maior do que o último que atingimos. Deus está sempre nos levando para cima — nunca para trás e nunca para baixo! Ele está sempre nos chamando para ir mais alto. Precisamos deixar de lado a vida medíocre e avançar em direção aos lugares altos. Precisamos viver de fé em fé, e não da fé à dúvida, da dúvida à incredulidade e depois de volta a uma pequenina fé.

DE FÉ EM FÉ, DE GLÓRIA EM GLÓRIA

Mas o justo viverá pela fé [o Meu servo justo viverá pela sua convicção com relação ao relacionamento do homem com Deus e com as coisas divinas, e pelo seu santo fervor nascido da fé e associado a ela]; e se ele recuar e se encolher de medo, a Minha alma não tem prazer nele.
Hebreus 10:38

Se você e eu quisermos passar para novos níveis de glória, precisamos fazer isso avançando para novos níveis de fé. Lembrando que a fé é confiança em Deus, podemos dizer então que precisamos avançar para novos níveis de confiança. Devemos ser confiantes em todas as áreas da vida.

Deus tratou comigo sobre ser confiante com relação ao meu dom de ensino. Ele sempre me lembra de que devo ser confiante no púlpito e tomar cuidado com os pensamentos de insegurança que às vezes tentam entrar na minha mente, mesmo enquanto estou pregando. Devo passar do púlpito confiantemente para a próxima coisa que preciso fazer. Devo ser confiante nos relacionamentos, confiante na oração, confiante quando estou dirigindo meu carro, confiante quando tomo decisões — devo ser confiante em todos os aspectos da minha vida diária e do meu ministério.

Deus me disse para não passar uma hora orando e depois sair dali pensando que não orei por tempo suficiente ou que não orei pelas coisas certas. Ele me mostrou que devo fazer as coisas com confiança e permanecer confiante depois de tê-las terminado.

Muitas vezes fiz coisas sobre as quais me senti bem, até que Satanás começou a me acusar depois de eu ter terminado. Finalmente percebi que se eu estivesse fazendo a coisa errada, Deus me diria isso antecipadamente, não depois de eu ter terminado, quando já não pudesse fazer mais nada a respeito.

Precisamos tomar uma posição ousada e declarar: "Creio que ouço Deus. Creio que sou guiado pelo Seu Espírito. Creio que tomo boas decisões. Creio que tenho uma vida de oração poderosa. Creio que as pessoas gostam de mim e que Deus me concede o Seu favor."

Ter esse tipo de ousadia não significa nunca cometer erros. Cometer um erro não é o fim do mundo, desde que estejamos dispostos a aprender. Ficamos presos por tempo demais a coisas negativas e não nos atemos por tempo suficiente às coisas positivas.

Estou certa de que cometo erros, de que não ouço Deus perfeitamente. Mas Deus me disse há muito tempo: "Joyce, não se preocupe com isso; se você se perder de Mim, Eu a encontrarei."

Em vez de se preocupar com o que podemos fazer de errado, deveríamos continuar nos levantando interiormente e seguindo em frente, tentando fazer algo certo. Podemos ter tanto medo de cometer um erro que acabaremos sem nunca fazer nada.

A Bíblia diz que o justo vive por fé ou, em outras palavras, ele vive *por confiança*. Vamos trocar a palavra "fé" pela palavra "confiança", com o objetivo de tornar a mensagem mais prática. Às vezes a fé parece algo tão espiritual que não conseguimos entender exatamente como aplicá-la de uma maneira prática. Pensar em termos de "confiança em Deus" me ajuda a entender melhor. Assim, fé é confiança e confiança é fé.

Não agrada a Deus quando você e eu perdemos a nossa confiança. Por quê? Isso entristece o Senhor por causa do que perdemos. Entristece a Deus se perdemos a nossa confiança e deixamos que o diabo roube de nós a herança a qual temos direito porque Ele enviou Jesus para morrer em nosso lugar. Deus fez a parte dele; agora Ele quer que façamos a nossa parte, que é crer — colocar a nossa confiança nele e na Sua Palavra e viver de fé em fé, para que Ele possa nos levar de glória em glória.

INFINITAMENTE, ABUNDANTEMENTE, ACIMA E ALÉM

Deus:
... é poderoso para [executar o Seu propósito e] fazer infinitamente, superabundantemente acima e além de tudo o que [ousamos] pe-

dir ou pensar [infinitamente além das nossas mais elevadas orações, desejos, pensamentos, esperanças ou sonhos].
Efésios 3:20

Quando oro por aqueles que estão sofrendo ou simplesmente medito acerca de suas vidas, tenho um forte desejo de ajudar essas pessoas. Às vezes sinto que o meu desejo é maior que a minha capacidade, e é — mas não é maior que a capacidade de Deus!

Quando aquilo que enfrentamos em nossa vida ou em nosso ministério se torna tão grande aos nossos olhos que a nossa mente entra em pane, precisamos *pensar no espírito*. No natural, muitas coisas são impossíveis. Mas na esfera sobrenatural e espiritual, nada é impossível com Deus. Deus quer que acreditemos em grandes coisas, que façamos grandes planos e que esperemos que Ele faça coisas tão grandes que nos deixem de boca aberta. Tiago 4:2 nos diz que não temos porque não pedimos! Podemos ser ousados ao pedir.

Às vezes, nas minhas reuniões, as pessoas se aproximam do altar para pedir oração e perguntam timidamente se podem pedir duas coisas. Digo a elas que podem pedir a Deus tudo o que quiserem, desde que elas confiem nele para fazer essas coisas do jeito dele e no tempo dele.

Quando você orar, faça isso se levantando interiormente. O que quero dizer é que você deve fazer isso respeitosamente, porém com determinação e ousadia. Não ore com medo, e não faça o que chamo de "a oração do apenas".

Quando ouço a mim mesma e a outras pessoas orando, tenho a impressão que dizemos com muita frequência: "Senhor, se Tu *apenas* fizeres isto ou aquilo..."; "Deus, se Tu *apenas* me libertares nesta área..."; "Pai, se Tu *apenas* me deres um aumento ou uma promoção no meu emprego..."; "Mestre, *apenas* Te pedimos que nos ajudes nesta área".

Sei que parte do motivo de orarmos assim é por uma questão de hábito, mas creio que há um motivo mais profundo. A maioria das pessoas diz coisas desse tipo quando ora, mas duvido que todo mundo tenha o mesmo hábito. Creio que essa tendência tem origem em uma convicção arraigada dentro de nós de que Deus realmente não quer fazer muito por um *cão morto ou um gafanhoto como nós*, então é melhor não pedirmos demais — apenas o suficiente para meramente sobrevivermos.

"*Faça* apenas isto ou aquilo", soa como se estivéssemos falando com alguém que faz as coisas de uma maneira limitada, alguém que não é capaz de fazer muito. Nossa oração é: "Se o Senhor fizer *apenas* esta única coisa, não esperaremos nada mais." Isso faz com que pareçamos pessoas que realmente não esperam receber muito, e que se pudermos receber apenas uma única coisa, estaremos satisfeitos.

Lembro-me de Deus dizendo que Ele é *o Deus Todo-Poderoso* (ver Gênesis 17:1), em outras palavras, "mais do que suficiente". A Bíblia diz que Abrão era extremamente rico, e não que ele mal tinha condição de se manter (ver Gênesis 13:2). Davi era tão rico que ele "preparou para a Casa do Senhor cem mil talentos de ouro e um milhão de talentos de prata..." (1 Crônicas 22:14) e muito mais.[2]

Deus costumava promover pessoas simples e comuns a posições que elas jamais poderiam alcançar por si mesmas. A própria palavra *prosperidade* indica *mais do que é necessário*. Deus quer que prosperemos em todas as áreas, não apenas financeiramente. Ele também quer que tenhamos prosperidade social, física, mental e espiritual.

Pense nisto. Deus quer que tenhamos tantos convites para ministrar que tenhamos de escolher quais devemos aceitar. Não é a vontade de Deus que o Seu povo fique entediado e solitário. Ele quer que nos sintamos ótimos fisicamente, e não que simplesmente arrastemos nosso corpo por aí o dia inteiro. Ele quer que sejamos vibrantes e cheios de energia, que desfrutemos a vida e a vivamos ao máximo. Ele também quer que tenhamos uma mente afiada, que tenhamos uma boa memória e que não vivamos de uma maneira confusa e preocupada.

Talvez você esteja pensando: *Bem, se esta é a vontade de Deus, por que não tenho todas essas coisas em minha vida?*

Talvez você não esteja pedindo o suficiente. Talvez, quando ora, você não faça isso com ousadia, levantando-se interiormente. Não faça orações do "apenas", ore por tudo o que possa *ousar* pedir, pensar ou desejar.

Quando oro por oportunidades para o ministério, para que eu possa ajudar mais pessoas, vou em frente e oro para que eu possa ajudar todas as pessoas na face da terra. Sei que isso parece realmente grande, mas, em Efésios 3:20, Deus nos desafia a orar por grandes coisas.

Sempre declaro que o nosso programa de televisão Life In The Word é visto diariamente, em todas as nações, cidades e aldeias. Através da transmissão por satélite, essa visão está se tornando cada vez mais uma realidade todos os dias.

Quando nossos desejos parecem extravagantemente grandes e não vemos os meios para realizá-los, devemos lembrar que embora não saibamos quais serão os caminhos, conhecemos Aquele que faz os caminhos! Falarei mais sobre confiança na oração em outro capítulo.

Deus tem um meio para fazermos tudo o que Ele coloca no nosso coração. Ele não coloca sonhos e visões em nós para nos frustrar. Precisamos manter a nossa confiança o tempo todo até o fim, e não apenas por algum tempo apenas para depois desistirmos, quando parece que a montanha é alta demais!

É incrível o que as pessoas podem fazer — pessoas que não *parecem* ser capazes de fazer nada. Deus não costuma chamar pessoas capazes; se fizesse isso, Ele não receberia a glória. Ele costuma escolher aqueles que, no natural, sentem que estão no seu limite, mas que estão prontos para se levantar interiormente e dar passos ousados de fé à medida que receberem direção de Deus.

Geralmente queremos esperar até "nos sentirmos prontos" antes de dar um passo, mas se nos sentirmos prontos, então teremos a tendência de depender de nós mesmos e não de Deus.

Reconheça as suas fraquezas e conheça Deus — conheça a Sua força e a Sua fidelidade. Acima de tudo, não seja alguém que desiste.

O trecho de Hebreus 10:38-39, em uma paráfrase da Bíblia *A Mensagem*, nos dá instruções muito claras sobre como Deus vê os desistentes, os medrosos e aqueles que não terminam o que começam:

Na época, vocês eram confiantes. E devem ser agora! Vocês precisam perseverar, permanecer firmes na aliança de Deus para alcançar o aperfeiçoamento prometido.
"Não vai demorar agora, Ele está a caminho;
Ele vai se manifestar a qualquer momento.
Qualquer um que esteja firme comigo descansa em leal confiança;
Mas, se desistir e Me abandonar, não ficarei satisfeito."
Mas não somos perdedores, não vamos desistir. Ah, não! Continuaremos firmes e sobreviveremos, sem perder a confiança durante a caminhada.

Tomei a decisão de ser alguém que não desiste. Em Colossenses 3:2, o apóstolo Paulo nos diz para firmarmos a nossa mente e para mantê-la firme. Não diga coisas como, "isto é difícil demais", "não consigo fazer isto" ou "não acho que vou conseguir". Em vez disso, proclame com ousadia: "Tudo posso em Cristo que me fortalece, estou pronto para qualquer coisa. Sou capaz de qualquer coisa por meio Daquele que coloca em mim força interior. Sou autossuficiente na suficiência de Cristo" (Filipenses 4:13, paráfrase minha).

DO POÇO AO PALÁCIO

Quando José chegou até seus irmãos, eles o despiram de sua túnica longa [especial] que ele usava. Depois eles o pegaram e o lançaram na cisterna [semelhante a um poço] que estava vazia; não havia água nela.

Gênesis 37:23-24

E Faraó disse a José: Visto que [teu] Deus te mostrou tudo isto, não há ninguém tão inteligente, prudente, cheio de entendimento e sábio como tu.
Administrarás a minha casa, e todo o meu povo será governado de acordo com a tua palavra [com reverência, submissão e obediência]. Apenas nas questões relativas ao trono serei eu maior do que tu.

Gênesis 41:39-40

Um poço é um canal, uma armadilha, um laço. Refere-se à destruição. Satanás sempre quer nos lançar dentro do poço.

Sabemos com base na Bíblia que José foi vendido como escravo por seus irmãos, que o odiavam. Na verdade, eles o lançaram em um poço e pretendiam deixá-lo ali para morrer, mas Deus tinha outros planos. Eles acabaram vendendo-o a mercadores de escravos, e ele se tornou escravo de um governante rico no Egito. Embora José tenha sido vendido como escravo, não tinha uma mentalidade de escravo. Ele acreditava que podia fazer grandes coisas.

Em todo lugar aonde José ia, Deus lhe concedia favor. Ele recebeu favor até na prisão onde passou muitos anos por uma ofensa que não havia cometido. Por fim, ele terminou no palácio, sendo o segundo no comando depois de Faraó, o governante sobre todo o Egito.

Como José passou do poço ao palácio? Creio que foi mantendo uma atitude positiva, recusando-se a ficar amargo, sendo confiante e confiando em Deus. Embora parecesse que ele tinha sido derrotado em muitas ocasiões, José continuou se levantando interiormente.

José tinha a atitude correta. Sem a atitude correta, uma pessoa pode começar no palácio e terminar no poço, o que na verdade acontece com muitas pessoas. Algumas parecem receber grandes oportunidades, mas não fazem nada com sua vida, ao passo que outras têm um péssimo começo na vida, mas superam os obstáculos e tornam-se bem-sucedidas.

José era um sonhador; ele tinha grandes planos (Gênesis 37:5-10). O diabo não quer que tenhamos sonhos e visões de coisas melhores. Ele quer que fiquemos sentados e nos tornemos "fazedores de nada".

Eu desafio você a decidir agora mesmo fazer alguma coisa grande para Deus. *Não importa onde você começou, você pode ter um grande final.* Se as pessoas o maltrataram e abusaram de você, não desperdice o seu tempo tentando se vingar — deixe-as nas mãos de Deus e confie nele para fazer justiça em sua vida.

Saiba o que você quer da vida, o que você quer fazer. Não seja indeciso! Ser confiante significa ser ousado, aberto, claro e direto

— isso não descreve uma pessoa indecisa, tímida, medrosa que não tem certeza de nada. Decida-se a deixar a sua marca neste mundo. Quando você partir desta terra, as pessoas deverão saber que você passou por aqui.

Todas as vezes que dedico centenas de horas ao projeto de um livro, creio que as pessoas ainda o lerão muito depois que eu tiver partido desta terra. Creio que as pessoas assistirão aos meus vídeos e ouvirão meus CDs de mensagens daqui a cinquenta, cem ou até centenas de anos, se o Senhor demorar a voltar. Crer nisso me dá energia para fazer o trabalho que envolve cada projeto. Quero deixar um legado aqui na terra quando eu for para casa estar com o Senhor.

Agora vamos falar sobre um homem da Bíblia que perdeu a sua confiança. Esta é uma das minhas histórias favoritas da Palavra de Deus.

"NÃO FIQUE DEITADO AÍ, FAÇA ALGUMA COISA!"

Mais tarde houve um festival (festa) dos judeus para o qual Jesus subiu a Jerusalém.

Ora, em Jerusalém há um tanque próximo à Porta das Ovelhas. Este tanque em hebraico se chama Betesda, tendo cinco pavilhões (alcovas, entradas, vestíbulos).

Ali jazia um grande número de pessoas enfermas — algumas cegas, outras aleijadas e algumas paralíticas (ressequidas) — esperando que as águas se agitassem.

Porque um anjo do Senhor descia em certo tempo até o tanque e movia e agitava as águas; quem entrasse na água então, em primeiro lugar, depois de serem agitadas as águas, era curado de qualquer doença que o afligisse.

Havia certo homem ali que sofria de um distúrbio profundo e prolongado havia trinta e oito anos. Quando Jesus o percebeu deitado ali [impotente], sabendo que ele estava há muito tempo naquele estado, disse-lhe: "Queres ser curado? [Você realmente está disposto a ser curado?]"

> *O inválido respondeu: "Senhor, não tenho ninguém que me coloque no tanque quando a água está sendo agitada; mas enquanto estou tentando entrar [nela] sozinho, outro desce antes de mim."*
>
> *Jesus lhe disse: "Levanta-te! Toma a tua cama (tapete de dormir) e anda!"*
>
> *Instantaneamente o homem ficou bom e recuperou a sua força, e pegou a sua cama e andou...*
>
> João 5:1-9

Por que aquele homem estava deitado ali há trinta e oito anos? Porque ele não estava doente somente no corpo, mas também estava na alma. As doenças da alma são muito piores, e às vezes são mais difíceis de tratar do que as doenças do corpo. Creio que o estado dele (corpo e alma) havia roubado a sua confiança. Sem confiança, ele nada tentava fazer, pelo menos não de maneira determinada.

Observe que quando Jesus perguntou-lhe se ele estava realmente disposto a ser curado, a resposta dele foi: "Senhor, não tenho ninguém para me ajudar a entrar na água. Outra pessoa sempre entra antes de mim." Tenho de acreditar que em trinta e oito anos ele poderia ter se arrastado até à beira do tanque e se preparado para se jogar dentro dele quando o anjo viesse e agitasse as águas.

As pessoas que perderam a confiança geralmente se tornam passivas e até preguiçosas. Elas não acreditam que podem fazer alguma coisa, de modo que querem que os outros façam as coisas por elas.

Jesus não ficou ali sentindo pena do homem. Em vez disso, Ele deu uma instrução muito específica: *"Levanta-te! Toma a tua cama e anda!"* Em outras palavras: *"Não fique deitado aí, faça alguma coisa!"*

Você tem uma aflição física que o faz sentir-se inseguro? Você tem permitido que as circunstâncias roubem a sua iniciativa? Falta-lhe confiança porque você é solteiro ou porque não tem instrução superior? Você sente pena de si mesmo em vez de se levantar interiormente e estar determinado a superar cada obstáculo?

Jesus sabia que a autocomiseração nunca libertaria aquele homem, então não sentiu pena dele. Ele teve compaixão, e isso é diferente de sentir piedade emocional.

Jesus não estava sendo duro, rude ou cruel — Ele estava tentando libertar o homem!

A autocomiseração pode ser um grande problema. Sei disso porque vivi cheia de autocomiseração por muitos anos, e sentir pena de mim mesma foi um grande problema para mim, para minha família e para o plano de Deus para a minha vida. Deus finalmente me disse que eu podia sentir pena de mim mesma ou me tornar uma pessoa poderosa, mas que eu não podia ter as duas coisas. Se quisesse ser poderosa, eu teria de abrir mão da autocomiseração.

Assim como José, eu sentia que havia sido lançada em um poço. Sofrer abuso sexual por aproximadamente quinze anos e crescer em um lar disfuncional havia me tornado uma pessoa sem confiança e cheia de vergonha. Eu queria estar no palácio (ter coisas boas em minha vida), mas parecia estar presa no poço (do tormento e do desespero emocional).

"Por que eu, Deus?", era o grito do meu coração, e ele enchia os meus pensamentos e afetava a minha atitude diariamente. Essa mente perturbada e essa atitude derrotista faziam com que eu fosse rancorosa e esperasse que todos resolvessem o meu problema. Sentia como se me devessem algo pela maneira como fui tratada na vida, mas estava esperando que as pessoas me pagassem quando, na verdade, deveria estar confiando em Deus.

Assim como fez com o homem em João 5, Jesus não sentiu pena de mim. Na verdade, Ele foi muito severo comigo — mas foi um momento de decisão na minha vida. Não estou mais no poço, agora tenho uma vida ótima. Como Lázaro, que saiu do túmulo, empurrei as ataduras para longe e comecei a me levantar interiormente.

"RETIRE AS ATADURAS!"

E tendo dito essas palavras, clamou em alta voz: "Lázaro, vem para fora!"

Então, o homem que estivera morto veio para fora, tendo os pés e as mãos atados com faixas de linho e o rosto envolto com um pano. E Jesus orientou-os: "Retirai as ataduras dele e deixai-o seguir."

João 11:43-44

Quando Jesus chamou Lázaro dentre os mortos, Ele disse: "Lázaro, vem para fora!" Então Ele disse outra coisa: "Retirai as ataduras dele."

Muitas pessoas nasceram de novo, elas foram ressuscitadas para uma nova vida, mas nunca entraram nessa nova vida porque estão vestindo as ataduras do passado que as envolvem.

Seja firme. Tome uma decisão. Firme a sua mente, levante-se interiormente, e você também poderá passar do "poço ao palácio".

QUERES SER CURADO?

Havia certo homem ali que sofria de um distúrbio profundo e prolongado havia trinta e oito anos. Quando Jesus o percebeu deitado ali [impotente], sabendo que ele estava há muito tempo naquele estado, disse-lhe: "Queres ser curado? [Você realmente está disposto a ser curado?]"

João 5:5-6

A versão King James em língua inglesa de João 5:6 traduz as palavras de Jesus ao fazer aquela pergunta ao homem como "Queres ser inteiro?".

Se você e eu quisermos ficar bem (superar o passado), precisamos fazer as coisas do jeito de Deus. Tenho uma grande compaixão pelas pessoas que estão lendo este livro — por você — e digo a você o mesmo que o Senhor disse a mim:

Você pode ficar cheio de autopiedade ou pode ser uma pessoa poderosa!

Pare de comparar as suas circunstâncias com as de outra pessoa que está melhor do que você. Encontre alguém que está pior que você, e então você se sentirá melhor. Olhe para as pessoas que estão em melhor situação que você apenas para ter uma visão de onde você pode estar, e não para se comparar a elas. Levante-se interiormente e diga a si mesmo: "Deus não faz acepção de pessoas; se Ele fez boas coisas para essas pessoas, Ele fará o mesmo por mim."

Não permita que os seus pensamentos sejam negativos e depressivos, fale positivamente sobre o seu futuro. Quando você achar necessário falar do seu passado desagradável, diga sempre: "Deus fará isso cooperar para o meu bem."

LIVRE-SE DISSO!

Ora, Paulo havia recolhido um feixe de gravetos, e estava colocando-os no fogo quando uma víbora, fugindo do calor, prendeu-se-lhe à mão.

Quando os nativos viram o pequeno animal pendurado em sua mão, disseram entre si: "Certamente este homem é um assassino, pois embora tenha sido salvo do mar, a Justiça [a deusa da vingança] não permite que ele viva."

Então Paulo [simplesmente] sacudiu a pequena criatura no fogo e não sofreu mal nenhum.

Atos 28:3-5

Quando Paulo e seus companheiros de viagem naufragaram na ilha de Malta, ele estava recolhendo gravetos para fazer uma fogueira para todos se secarem quando foi mordido por uma cobra que havia fugido das chamas. A Bíblia diz que ele simplesmente a sacudiu no fogo, livrando-se dela. Você e eu devemos fazer o mesmo — nós também devemos ser ousados interiormente e nos livrar do que nos prejudica!

Seja o que for que esteja perturbando você em relação ao passado, *livre-se* dessas coisas! Deus tem um grande futuro planejado para você. Nos sonhos futuros não há lugar para as mordidas de serpente do passado!

Estou tentando acender em você um fogo que nunca se apague. Anime-se e recuse-se a assumir um espírito de frieza e morte. Combata esses pensamentos negativos que procuram mantê-lo cativo. Jesus quer tornar você "inteiro". Ele não quer consertar partes suas, Ele quer consertá-lo por inteiro: corpo, emoções, mente, atitude, vontade e espírito.

Jesus lidou com o homem em João 5 em mais de uma área. Ele tratou com algumas questões da sua alma antes de curar seu corpo.

Se estivermos enfermos na nossa alma, isso continuará a se apresentar no nosso corpo de uma forma ou de outra. Podemos receber cura em uma área, e um problema surgir em outra. Precisamos chegar à raiz dos nossos problemas.

Deus quer tornar você são, completamente íntegro e inteiro. Não se satisfaça com nada menos. Continue avançado até que todas as áreas da sua vida estejam curadas.

Deus está do seu lado, e se Ele é por você, realmente não importa quem seja contra você. Os gigantes podem ser grandes, mas Deus é maior. Você pode ter fraquezas, mas Deus tem força. Você pode ter pecado em sua vida, mas Deus tem graça. Você pode falhar, mas Deus permanece fiel!

Você quer ser curado por inteiro? Nesse caso, examine toda e qualquer atitude que não se alinhe com a Palavra de Deus — e *elimine-a!*

SEJA PERSEVERANTE NA FÉ!

... quando vier o Filho do Homem, achará, porventura, fé [perseverança] na terra?

Lucas 18:8

Precisamos lidar severamente com a nossa carne, e não permitir que ela nos governe. Quando Jesus voltar, Ele quer nos encontrar em fé (confiança), e não em autocomiseração ou amargura, medo ou desânimo.

Nessa passagem de Lucas, Jesus pergunta: "Quando vier o Filho do Homem, porventura achará fé na terra?" Deus se agrada de nós desde que continuemos crendo. O nosso trabalho é manter a nossa confiança em um nível elevado.

Você vai tomar a decisão de começar a viver de fé em fé, de confiança em confiança? Nesse caso, Tiago 4:10 lhe garante que "[Ele vos exaltará e tornará as vossas vidas significativas]."

Você não ama esse versículo? Satanás o odeia, mas eu o amo. Aleluia, *Ele vos exaltará e tornará as vossas vidas significativas!* Creia nisso, receba-o e esteja confiante de que acontecerá.

11
A CONDENAÇÃO DESTRÓI A CONFIANÇA

> E, amados, se a nossa consciência (nosso coração) não nos acusar (se ele não nos fizer sentir culpados e nos condenar), temos confiança (completa certeza e ousadia) diante de Deus.
>
> **1 JOÃO 3:21**

Para ser ousada, uma pessoa precisa ser confiante. Definimos que a confiança é vital para o sucesso. Todos desejam ser confiantes, no entanto, muitas pessoas, talvez até a maioria, têm sérios problemas nessa área.

Por quê? Há muitas razões possíveis: um passado de abuso, uma autoimagem negativa, a ignorância do amor de Deus, a rejeição da família e dos amigos, etc. Mas creio que uma das maiores razões é a condenação.

Falamos sobre o problema da condenação em outras partes deste livro, mas precisamos dedicar um capítulo inteiro ao assunto por causa do número de vidas que estão sendo destruídas por ela.

O QUE É CONDENAÇÃO?

Agora, pois, já nenhuma condenação há para os que estão em Cristo Jesus, que não andam segundo a carne, mas segundo o Espírito.

Romanos 8:1

Na *Concordância Exaustiva da Bíblia de Strong,* a palavra grega traduzida como *condenação* nesse versículo significa "*uma sentença adversa*".

O dicionário *Complete Expository Dictionary of Old and New Testament Words de Vine* nos diz que a palavra grega *krima* traduzida como *condenação* "denota (uma) 'sentença pronunciada, um veredito, uma condenação, a decisão resultante de uma investigação'."[2]

A palavra traduzida como *condenar* em vários versículos do Novo Testamento significa "observar contra, por exemplo, encontrar culpa em — culpar;"[3] "julgar contra,"[4] "pronunciar culpado;"[5] "punir, condenar".[6]

À luz de Romanos 8:1, será que esse é o tipo de atividade com a qual nós, cristãos, deveríamos nos envolver — especialmente contra nós mesmos?

AUTOEXAME EXCESSIVO

Examinai-vos a vós mesmos se realmente estais na fé; provai-vos a vós mesmos. Ou não reconheceis que Jesus Cristo está em vós?
2 Coríntios 13:5

A Bíblia nos diz para nos examinarmos, e concordo de todo o coração que precisamos fazer isso. Devemos nos examinar e ver se há em nós algum pecado e, nesse caso, devemos nos arrepender sinceramente, e depois passar a viver sem aquele pecado em nossa vida.

Há uma grande diferença entre exame e condenação. O exame nos ajuda a provar para nós mesmos que estamos em Cristo e Ele está em nós, e que nele fomos libertos do pecado. A condenação nos mantém atolados no próprio pecado pelo qual nos sentimos condenados. Ela não nos liberta — ela nos aprisiona! Ela nos enfraquece e suga toda a nossa força espiritual. Dedicamos a nossa energia ao sentimento de condenação, e não a viver uma vida justa.

Existe uma coisa que é o autoexame excessivo, e eu pessoalmente creio que ele abre a porta para grande parte do desequilíbrio que vemos hoje nessa área entre os filhos de Deus.

Ser excessivamente introspectivo e estar continuamente examinando cada movimento que fazemos são atitudes que abrem a porta para Satanás. No passado, tive inúmeros problemas nessa área, e sei que você e eu não podemos ter êxito em sermos nós mesmos até darmos um fim a esse problema.

Lembro-me de que eu encontrava algo de errado em quase tudo que fazia. Quando Satanás não me acusava, eu facilitava o trabalho dele e acusava a mim mesma. Se estivesse na companhia de amigos, depois que eu me separava deles sempre encontrava algo errado no que eu havia dito ou feito. Então eu iniciava o ciclo de culpa e daqueles sentimentos de condenação que sempre vêm depois de uma investigação e trazem um julgamento negativo. Chamo isso de "ciclo" porque quando permitimos esse tipo de cativeiro em nossa vida, ele se repete incessantemente. Mal superamos um incidente, segue-se outro.

Se eu orasse, nunca achava que havia orado corretamente ou por tempo suficiente. Se eu lesse a minha Bíblia, achava que deveria ter lido mais, ou talvez ter lido outra passagem. Se eu lesse um livro que Deus estava usando para me ajudar naquele momento e não lesse a minha Bíblia em primeiro lugar, então me sentia condenada porque "provavelmente deveria ter lido a minha Bíblia primeiro, e não um livro". Se eu fosse fazer compras, eu me sentia condenada porque havia gasto dinheiro ou comprado algo que não era uma necessidade desesperadora. Se eu comesse, sentia que havia comido demais ou que havia comido a coisa errada. Se eu desfrutasse de algum tipo de diversão, sentia que deveria estar trabalhando.

Embora alguns desses sentimentos fossem vagos, ainda assim eles me atormentavam e me debilitavam. Eles estavam destruindo a minha confiança, e creio firmemente que Satanás está usando o mesmo tipo de guerra espiritual para destruir a confiança de muitas outras pessoas.

Meu marido nunca passou por esse tipo de coisa. Ele quase nunca se sentia culpado. Ele simplesmente lidava com os problemas em sua vida por meio da oração, do arrependimento e da sua fé na Palavra de Deus. Ele não se sentia culpado quando cometia um erro, e eu não conseguia entender isso de modo algum. Não quero dizer que ele não se arrependia — ele se arrependia, mas não se sentia condenado nem culpado. Ele sabia a diferença entre convicção e condenação, e eu não.

Ele não ficava sentado se examinando o dia inteiro. Havia vezes em que eu dizia a ele: "Dave, você não deveria ter falado com aquelas pessoas naquele tom de voz. Você pode ter ferido os sentimentos delas." A resposta dele era: "Joyce, eu não estava tentando ferir os sentimentos delas — estava simplesmente me expressando. Se ficaram magoadas, a culpa é delas e não minha."

Nesses casos, ele não sentia nenhuma convicção em seu coração. Até onde sabia, seu coração estava em paz e ele não acreditava que deveria passar a vida se sentindo responsável pelas reações emocionais e pelos problemas pessoais de todos.

Isso não significa que Dave não se importa com as pessoas. Ele se importa muito com elas, mas não vai deixar que a hipersensibilidade e a insegurança das outras pessoas o controlem. Ele irá orar por elas, mas não se deixará controlar por elas.

Isso é a verdadeira liberdade!

Eu, por outro lado, vivia com um falso senso de responsabilidade. Eu não apenas me sentia excessivamente responsável por tudo que havia feito ou poderia ter feito de errado, como também me sentia responsável pela maneira como todos reagiam. Ao ministrar a outras pessoas, houve inúmeras vezes em que me vi às voltas com pessoas inseguras e emocionalmente feridas. Minha personalidade ousada e direta e as feridas delas nem sempre eram uma boa combinação. Eu era simplesmente eu mesma, e elas ficavam terrivelmente magoadas ou ofendidas. Quando percebia que algo estava errado, eu me sentia condenada.

Em alguns casos, elas tinham uma reação estranha ao que eu disse, ou eu ouvia mais tarde alguém dizer que eu as havia magoado, e então o meu ciclo reiniciava. Eu pensava: *Não agi direito. Elas ficaram magoadas, e é tudo culpa minha, preciso mudar. Eu tento e tento, mas parece que sempre cometo os mesmos erros vez após vez!* Então era hora de eu me culpar outra vez. Eu sempre pensava que deveria haver alguma coisa errada comigo — era sempre eu!

Meu marido, que era e é seguro de si, tinha uma perspectiva equilibrada sobre essas questões. Ele não queria magoar as pessoas, mas ao mesmo tempo sabia que não podia ser algo que não era. Ele entende que o mundo está cheio de todo tipo de pessoas, e que nem todas elas iriam reagir favoravelmente. Dave sabe que se ele se sentisse responsável pela maneira como as pessoas reagem ao que ele faz, isso roubaria dele a vida que Jesus morreu para lhe dar.

Isso não significa que podemos tratar as pessoas da maneira que desejarmos e simplesmente "deixar para lá" dizendo, "se elas estão com problemas, a culpa é delas". Se Deus nos convencer de que nos comportamos mal, devemos nos arrepender e deixar que Ele nos ajude a mudar a nossa maneira de agir. Mas se Deus não nos der a convicção e estivermos simplesmente recebendo condenação satânica através da nossa falta de confiança, então devemos nos levantar contra essas coisas ou ficaremos em uma prisão espiritual por toda a vida.

Depois de anos de agonia, finalmente experimentei a libertação nessas áreas. As fortalezas que ficaram incrustadas em nossa vida por muito tempo nem sempre caem por terra com rapidez. Temos de continuar buscando a nossa libertação e nos recusar a desistir até vermos se cumprir a remoção das barreiras que Deus promete na Sua Palavra.

Precisamos aprender a ouvir o nosso coração, e não a nossa mente ou os nossos sentimentos. Dave ouvia o seu coração, e eu ouvia a minha mente e os meus sentimentos — é por isso que ele estava desfrutando a vida, e eu não.

CONVICÇÃO OU CONDENAÇÃO?

E quando Ele vier, trará convicção e convencerá o mundo do pecado, da justiça (retidão de coração e posição reta diante de Deus) e do juízo.

João 16:8

Jesus disse aos discípulos que quando o Espírito Santo viesse, teria um ministério íntimo e pessoal para com eles.

Uma das coisas pelas quais o Espírito Santo é responsável é por guiar os crentes a toda verdade, pois Ele é o agente no processo da santificação na vida dos crentes. Isso é realizado em parte por meio dos Seus poderes de convicção.

Em outras palavras, todas as vezes que estamos saindo dos trilhos ou indo na direção errada, o Espírito Santo nos convence de que o nosso comportamento (ou decisão) está errado. Isso é feito por meio de um "conhecimento" em nosso espírito de que o que estamos fazendo não está certo.

Quando você e eu nos sentimos convictos, devemos nos arrepender e mudar de direção. Nada mais e nada menos do que isso é exigido ou aceitável. Se soubermos como fazer e estivermos dispostos a cooperar com o Espírito Santo, podemos seguir em frente para a maturidade espiritual e liberar todas as bênçãos planejadas por Deus em nossa vida. Se, entretanto, ignorarmos essa convicção e seguirmos o próprio caminho, acharemos a jornada extremamente extenuante e difícil. Nossa vida seguirá sem ser abençoada e, portanto, ficará infrutífera.

Satanás não quer que recebamos convicção, nem quer que nós a entendamos. Ele sempre tem uma imitação para todas as coisas boas que Deus oferece — algo que de algum modo é semelhante ao que Deus oferece, mas que se recebido trará destruição em vez de bênção.

Creio que a imitação de Satanás para a verdadeira convicção que vem de Deus é a condenação. A condenação sempre gera sentimentos de culpa. Ela faz com que fiquemos "deprimidos" de todas as formas possíveis. Nós nos sentimos sob um jugo pesado, que é onde Satanás nos quer.

Deus, por outro lado, enviou Jesus para nos libertar, para nos trazer justiça, paz e alegria (Romanos 14:17). Nosso espírito deve ser leve e despreocupado, e não oprimido e pesado de fardos que somos incapazes de suportar. Não podemos carregar os nossos pecados; Jesus veio para carregá-los por nós. Só Ele é capaz de fazer isso, e precisamos receber o Seu ministério.

Passei anos sem entender a diferença entre convicção e condenação. Quando sentia convicção pelas minhas ações erradas, em vez de me arrepender e receber a misericórdia e a graça de Deus, eu me sentia imediatamente condenada e entrava no ciclo de culpa e remorso.

Em João 8:31-32, Jesus nos diz: "... se permanecerdes na Minha Palavra... conhecereis a verdade, e a verdade vos libertará." Sou muito grata pela verdade que se revelou para mim depois que o Espírito Santo passou a habitar em meu interior, porque ela realmente me libertou.

Se você tem problemas nessa área, talvez esteja pensando: *Joyce, eu não quero me sentir assim, mas não sei como interromper o ciclo e começar a desfrutar a liberdade.* É a unção que está na Palavra de Deus que vai libertar você: "Ele envia a Sua Palavra, e os cura e os resgata da cova e da destruição" (Salmos 107:20).

Veja a seguir alguns versículos da Bíblia para você meditar; eles irão edificar a sua fé para esses momentos em que você for atacado por sentimentos de culpa e condenação. Use-os como uma arma contra Satanás declarando-os com a sua boca. Diga a ele a mesma coisa que Jesus disse quando foi atacado: **"Está escrito!"** (ver Lucas 4:4,8; Mateus 4:7, grifo meu).

Mas Ele foi traspassado pelas nossas transgressões e moído pela nossa culpa e pelas nossas iniquidades; o castigo [necessário para obter], a paz e o bem-estar estavam sobre Ele, e pelas pisaduras [que O feriram] fomos sarados e feitos sãos.

Isaías 53:5

Aquele que crê Nele [que se apega a Ele, confia Nele e depende Dele] não é julgado [aquele que confia Nele nunca comparece para julgamento; para ele não há rejeição nem condenação — ele não incorre em maldição]; mas aquele que não crê (não se apega a Ele, não depende Dele, não confia Nele) já está julgado...

João 3:18

*Portanto, não há condenação (nenhuma sentença de culpa ou erro) para aqueles que estão em Cristo Jesus, **que vivem [e] andam, não segundo os ditames da carne, mas segundo os ditames do Espírito.***

Porque a lei do Espírito da vida [que está] em Cristo Jesus [a lei do nosso novo ser] me libertou da lei do pecado e da morte.

Romanos 8:1-2, *grifo meu*

Quem trará acusação contra os eleitos de Deus, [quando é] Deus quem os justifica? [isto é, Aquele que nos coloca em um relacionamento reto consigo? Quem virá à frente e acusará ou impedirá aqueles a quem Deus escolheu? Será Deus, que nos absolve?]

Quem há que nos condene? Será Cristo Jesus (o Messias), Quem morreu, ou antes, Quem ressuscitou, Quem está à destra de Deus e Quem na verdade advoga enquanto intercede por nós?

Romanos 8:33-34

... pois o acusador dos nossos irmãos, aquele que leva acusações diante do nosso Deus contra eles dia e noite, foi expulso!

Apocalipse 12:10

Permaneça na Palavra. Passe tempo com Deus regularmente. Recuse-se a desistir e pare com o autoexame excessivo. Deixe que Deus o convença, não faça isso você mesmo.

As pessoas verdadeiramente mansas não ficam pensando excessivamente no que fizeram de certo e no que fizeram de errado; elas simplesmente permanecem "em Cristo".

É isso que você deve fazer. Pare de se sentir culpado e condenado e comece a se sentir ousado e livre!

OUSADIA SANTA

Concluindo, fortalecei-vos no Senhor e na força do seu poder.

Efésios 6:10

Como crentes, nos é dito para sermos ousados no Senhor e na força do Seu poder. Às vezes deixamos que um espírito "fracote" tome conta de nós. Ficamos covardes e temos medo de nos levantarmos e de fazer o que Deus está nos direcionando a dizer e fazer. Precisamos lembrar regularmente que a Palavra de Deus diz que Ele "... não nos concedeu espírito de covardia, mas de poder, de amor e de equilíbrio" (2 Timóteo 1:7).

Pessoalmente, gosto da palavra *poder*. Creio que todos nós queremos ser poderosos. Deus tem grandes planos para cada um de nós.

Deus tem grandes planos para você!

Vou contar um segredo a você: o medo nunca deixará de se levantar contra nós. Precisamos aprender a fazer o que Deus nos diz para fazer quer sintamos medo ou não. Precisamos fazer, mesmo com medo, se necessário, mas é isto que a ousadia faz: ela faz, de qualquer jeito!

Sempre pensei que enquanto sentisse medo, eu seria uma covarde, mas aprendi que não é bem assim. Quando Deus disse a Josué repetidamente para não temer, na verdade, estava lhe dizendo que o medo iria atacá-lo, mas que ele deveria andar em obediência ao que Deus havia dito.

Não somos covardes porque sentimos medo. Somos covardes apenas se deixarmos que o medo governe as nossas decisões.

De acordo com o dicionário de Vine, a palavra grega *phobos*, traduzida como *medo* em português, "primeiramente tinha o significado de 'fuga', aquilo que é causado por se estar assustado; depois, 'aquilo que pode gerar fuga'."[7] Deus quer que fiquemos firmes no Seu poder e não fujamos.

Fique firme e faça o que Deus disse para fazer!

O medo é um espírito que pode produzir sintomas físicos e emocionais. Quando o medo ataca, podemos nos sentir trêmulos e fracos e até mesmo suar. Pode ser preciso reunir tudo o que temos apenas para falar ou para nos movermos. Nada disso significa que somos covardes. A Palavra de Deus não diz "não sue, não trema, não se agite", ela diz "não tema"! A maneira de vencer o medo é avançar através dele e chegar do outro lado — o lado da liberdade.

Você e eu geralmente queremos ser libertos de forma milagrosa. Gostaríamos que algum amigo orasse por nós para que o nosso problema desaparecesse, ou queremos entrar em uma fila de oração e que algum ministro faça o nosso medo desaparecer. *Isso seria bom*, pensamos, mas normalmente as coisas não acontecem assim. Deus realmente faz milagres, e quando Ele os faz, é maravilhoso, mas muitas vezes temos de sair das situações.

Não pense que há algo errado com você se parece que você sempre tem de "passar" por determinadas situações e nunca recebe um milagre. Deus tem planos diferentes para cada um de nós, e se Ele exige que passemos por essas situações ou que as deixemos, Ele tem os Seus motivos.

Enfrentar as situações e não fugir delas é uma das mais importantes ferramentas que Deus usa para nos fazer crescer e para nos preparar para sermos usados por Ele com o objetivo de ajudar outras pessoas. Se nunca passarmos por nada, nunca obteremos vitória pessoal sobre Satanás. Quando perseveramos com Deus e avançamos contra situações difíceis, "saindo" delas e aprendendo com elas, obtemos uma vitória que ninguém pode tirar de nós.

Não precisamos estar constantemente procurando alguém que conheça a Deus para conquistar a vitória para nós. Precisamos aprender a ser vitoriosos por nós mesmos.

Sem dúvida acredito em orar uns pelos outros. Sinceramente não sei o que eu faria se as pessoas não orassem por mim o tempo todo. Creio que a oração nos encoraja e nos fortalece para podermos "passar pelas coisas" e não desistir. Creio em ministrar uns aos outros, mas todos nós chegamos a um ponto na vida em que precisamos parar de fugir das dificuldades e deixar Deus fazer a obra que precisa ser feita em nós.

Precisamos ser ousados!

Se isso significa confrontar o medo, então devemos avançar contra ele e aprender o que significa ser verdadeiramente forte no Senhor e na força do Seu poder!

A VERDADEIRA OUSADIA É MAIS DO QUE UM TOM DE VOZ ALTO

Melhor é o longânimo do que o herói da guerra, e o que domina o seu [próprio] espírito do que o que toma uma cidade.

Provérbios 16:32

Há uma diferença entre alguém falar alto e ser insolente e verdadeiramente ser ousado no Senhor. Sempre falei alto durante toda a minha vida, mas nem sempre fui ousada. Eu podia falar alto, mas meus atos geralmente eram cheios de medo.

Quando uma pessoa tem uma personalidade forte, todos sempre supõem que ela é corajosa, mas nem sempre é esse o caso. Descobri que muitas pessoas que têm "personalidades fortes" são, na verdade, muito medrosas em seu interior. Às vezes elas têm uma atitude excessivamente agressiva como forma de encobrir os medos que não querem enfrentar ou tratar.

O que chamo de "ousadia santa" é algo lindo. Ela se levanta em obediência silenciosa e obedece a Deus seja qual for o preço pessoal. Ela dá a Deus toda a glória, ela não é pretensiosa, e não julga aqueles que são menos agressivos em sua abordagem.

Falar alto ou ser agressivo de uma forma carnal sempre atrai a atenção para si. Muitas vezes essas pessoas fazem o que querem em vez de obedecer a Deus, e criticam ou julgam os mais tranquilos, que também são preciosos para o Senhor.

É importante entender que todos nós temos diferentes personalidades dadas por Deus. Só porque as pessoas têm uma personalidade mais tranquila ou mais mansa isso não significa que elas não podem ser ousadas. Na verdade, às vezes é esse tipo de pessoa que devemos procurar para encontrar a verdadeira ousadia.

Como eu disse, sempre falei alto, muitas vezes era insolente, no entanto, secretamente, eu era medrosa. Ainda tenho uma personalidade forte, mas mudei. Sei quando devo avançar com ousadia e quando esperar, quando falar com firmeza e quando ficar em silêncio.

Os princípios de Deus nunca terão o efeito que devem ter em nossa vida se não formos equilibrados. Não podemos apresentar uma atitude dura e rude e chamar isso de ousadia. A verdadeira ousadia é cheia de amor e misericórdia. Ela é forte quando precisa ser, mas também tem consideração pelos outros.

É imperativo para o plano de Deus que a Igreja manifeste uma ousadia santa, que não viva secretamente com medo e condenação e depois apresente uma atitude falsa e desprovida de poder diante do mundo. Sinceramente creio que talvez oitenta por cento de todas as pessoas que se "dizem" cristãs se sentem condenadas na maior parte do tempo. Há muito poucas pessoas que realmente sabem quem são em Cristo e andam na segurança dessa verdade.

As pessoas experimentam todo tipo de inseguranças acerca de si mesmas. Elas têm o ânimo dobre ao tomar decisões porque não têm certeza se ouvem de Deus. Elas duvidam de si mesmas a tal ponto que não querem dar um passo de obediência e fazer as coisas que Deus as está direcionando a fazer.

Mas quando o assunto é gritar e fazer barulho, elas não deixam a desejar, principalmente aquelas que acreditam estar inflamadas e ardendo com o fogo de Deus.

Entretanto, se quisermos ser realmente ousados, precisamos aprender a controlar nossas emoções o suficiente para permitirmos que Deus nos use e nos abençoe como Ele achar melhor.

VOCÊ PODE SUPORTAR SER ABENÇOADO?

Bem-aventurado (feliz, afortunado, próspero e digno de ser invejado) é o homem que não anda e não vive segundo o conselho dos ímpios [seguindo o conselho, os planos e os propósitos deles], nem se detém [submisso e inativo] no caminho em que os pecadores andam, nem se senta [para relaxar e descansar] onde os escarnecedores [e os zombadores] se reúnem.

Mas o seu prazer e desejo estão na Lei do S<small>ENHOR</small>, e na Sua Lei (os preceitos, as instruções e os ensinamentos de Deus) ele medita (pondera e estuda) habitualmente de dia e de noite.

E ele será como uma árvore firmemente plantada [e cuidada] junto aos ribeiros de águas, pronta para dar o seu fruto na devida estação; suas folhas também não murcharão ou secarão; e tudo o que ele faz prosperará [e amadurecerá].

Salmos 1:1-3

Recentemente, um cristão conhecido meu me falou sobre um automóvel muito caro que lhe foi dado. Esse homem foi fiel por muitos anos no ministério. Ele trabalhou com muito afinco e fez muitos sacrifícios. Um grupo de homens de negócios que o conhecia e o amava quis abençoá-lo com um carro que eles sabiam que ele realmente gostava, mas jamais poderia possuir sem uma intervenção sobrenatural. O carro custa sessenta mil dólares.

Esse conhecido nos contou que estava pensando em vendê-lo. Perguntamos se isso ofenderia ou magoaria as pessoas que o presentearam, e ele respondeu que eles disseram que ele era livre para fazer o que quisesse. Lembro-me de perguntar por que ele iria querer vendê-lo, considerando que aquela era a realização do seu sonho. Suas palavras exatas foram: "Sei que estou no ministério e que não deveria me sentir assim, mas a verdade é que não me sinto digno de dirigir um carro tão caro."

Essa é outra manifestação da falta de ousadia que vem da insegurança e de não sabermos realmente quem somos em Cristo. Se não podemos sequer ser ousados o bastante para receber e desfrutar as bênçãos de Deus sem nos sentirmos culpados e condenados, então certamente nos falta algo em uma área que é muito importante. Para início de conversa, Deus quer abençoar Seus filhos e, além disso, Ele quer que sejamos uma bênção. Como podemos abençoar alguém se nós mesmos não somos abençoados?

Creio que é preciso ousadia para ser abençoado. Primeiramente, temos de fazer orações ousadas, e em segundo lugar, temos de ser capazes de receber e desfrutar as bênçãos quando elas vierem.

Lembro-me de como eu era antigamente, antes de Deus me ensinar sobre a justiça por meio de Jesus Cristo. Eu me sentia tão mal comigo mesma que não podia imaginar Deus querendo me abençoar grandiosamente. Eu mal podia acreditar que Ele supriria as minhas necessidades diárias, quanto mais me dar acima e além dessas necessidades. Minha oração não era ousada o suficiente para pedir coisas que não fossem necessidades desesperadoras.

À medida que ouvi cada vez mais ensinamentos sobre o plano de Deus para prosperar Seus filhos, me aventurei na oração e comecei a pedir algumas coisas que eram desejos do meu coração, mas não necessidades vitais. Ainda me lembro de me sentir desconfortável tentando falar com o Senhor sobre coisas como roupas muito boas ou uma nova aliança de casamento. A aliança que eu usava naquela época custou dezessete dólares. Dave comprou uma para mim que custou aproximadamente cem dólares quando nos casamos. Então, alguns anos depois, enquanto estávamos jogando golfe, pedi a ele que a colocasse no bolso para mim. Ele deve tê-la tirado junto com algumas bolas de golfe e perdeu-a no campo de golfe. Naquela época nós tínhamos três filhos pequenos e não tínhamos dinheiro para alianças de casamento. Comprei uma em uma livraria cristã. Ela tinha uma cruz em cima e era bonita, mas eu definitivamente queria uma que fosse realmente bonita.

A esta altura da minha vida o meu relacionamento com Deus estava se tornando realmente sério, e eu havia terminado o meu primeiro jejum longo há pouco tempo. Eu jejuei durante todo o mês de fevereiro, pedindo a Deus para me ajudar a andar em amor. Depois, uma mulher na igreja que eu frequentava me procurou em um culto e me entregou uma caixa com a mensagem: "Deus me disse para lhe dar isto." Quando abri a caixa, ela continha uma linda aliança de casamento com vinte e três diamantes. É claro que eu fiquei muito entusiasmada, mas comecei a perceber que me sentia desconfortável ao usá-la. Eu ficava incomodada com a ideia de as pessoas pensarem que eu estava tentando ser alguém importante, ou que elas pudessem não entender que havia sido um presente, e não uma extravagância da minha parte. Eu tinha medo do julgamento delas.

Em outra ocasião lembro que uma mulher deu-me um casaco de peles, e senti o mesmo. Era algo que eu desejava secretamente, e acreditei que Deus estava me abençoando dando-o a mim, mas eu raramente o usava, a princípio porque sentia que as pessoas poderiam me julgar ou pensar coisas a meu respeito que não eram verdadeiras. Eu era jovem no ministério, e queria que as pessoas confiassem em mim e se identificassem comigo. Não queria que elas pensassem que eu estava me tornando uma pessoa com a postura de uma "estrela" e que ficava exibindo coisas caras.

Dave finalmente foi firme comigo e disse algo mais ou menos assim: "Ouça, Joyce, você trabalha duro, faz muitos sacrifícios para ministrar às pessoas, e se você não pode receber uma bênção de Deus sem ter medo do que as pessoas irão pensar, então você ficará em uma espécie de prisão emocional por toda a vida." Ele disse ainda para eu usar o casaco e desfrutá-lo. O que ele disse não mudou imediatamente a maneira como eu me sentia, mas fez com que eu entendesse que precisava mudar a minha maneira de pensar ou Satanás usaria isso para garantir que eu nunca tivesse nada que queria.

Logicamente, precisamos usar a sabedoria nessa área. Por exemplo, não creio que precisemos necessariamente usar as nossas melhores coisas quando vamos ministrar aos pobres e necessitados ou a pessoas de um país do terceiro mundo como a Índia, onde a pobreza é tão visível. Fazer isso poderia ofendê-los ou fazer com que eles se sentissem ainda pior com a sua situação. Poderia fazer com que eles se sentissem inferiores, o que não os ajudaria de modo algum. Nosso propósito em ir ministrar a outros deve sempre ser levantá-los e encorajá-los, e não fazer com que eles se sintam inferiores e desanimados.

Queremos ser sensíveis à maneira como os outros se sentem, mas, se não formos equilibrados em nossa sensibilidade, isso pode abrir uma porta para que as pessoas nos controlem. Como todos nós sabemos, não importa o que façamos, sempre haverá alguém que não aprova algo em nosso comportamento. O ponto principal é que devemos conhecer o nosso coração e seguir o que realmente acreditamos que Jesus gostaria que fizéssemos em situações específicas.

Algumas pessoas têm tanto medo que ainda que Deus as abençoasse grandiosamente, elas não conseguiriam suportar isso. Para andar nas bênçãos de Deus, precisamos ser ousados. Não podemos temer o julgamento e a crítica das outras pessoas. O ciúme e a inveja são espíritos que amam atuar por meio da família e dos amigos para roubar a alegria da nossa prosperidade e do nosso sucesso. Mas lembre-se de que não lutamos contra carne e sangue, mas contra principados e potestades (Efésios 6:12).

Não fique zangado com as pessoas, mas também não se curve aos espíritos (atitudes) errados que tentam controlar você.

A prosperidade é a vontade de Deus para você. O Salmo 1 promete prosperidade àqueles que têm prazer na Lei do Senhor (nos Seus preceitos e instruções) e que meditam nela dia e noite. Em outras palavras, aqueles que dão a Deus e à Sua Palavra o primeiro lugar em sua vida podem esperar ter prosperidade.

A Bíblia está cheia de versículos que prometem bênção e prosperidade àqueles que amam a Deus e obedecem a Ele. Portanto, aqueles que fazem isso devem esperar ser abençoados. Eles não devem ser inseguros a ponto de não poderem receber as bênçãos quando elas vierem.

Deus não quer que tenhamos uma atitude arrogante, do tipo "sou melhor do que você". Mas Ele quer que recebamos graciosamente e com gratidão aquilo que Ele escolhe nos dar.

Alguém recentemente me lembrou da túnica de José, um presente especial de seu pai amoroso, Israel (Gênesis 37:3-4). Aparentemente, ela era muito bonita, porque seus irmãos tinham muita inveja dela. Na verdade, eles odiavam José por causa dela — mas o ódio deles não impediu que ele a usasse.

Devemos desfrutar o que Deus nos dá e ouvi-lo, e não ouvir todas as pessoas que nos cercam e que deveriam estar felizes por nós, mas que não são maduras espiritualmente o bastante para fazer isso.

OUSADO O BASTANTE PARA SER GUIADO PELO ESPÍRITO

Fogem os perversos, sem que ninguém os persiga; mas o [que é inflexivelmente] justo é intrépido como o leão.

Provérbios 28:1

Se quisermos ter êxito em sermos nós mesmos, precisamos chegar ao ponto em que possamos ser guiados pelo Espírito Santo. Somente Deus, por meio do Seu Espírito, nos levará a ter sucesso e a sermos tudo o que podemos ser. As outras pessoas geralmente não farão isso, o diabo certamente não fará isso, e nós não somos capazes de fazer isso por conta própria, sem Deus.

Ser guiado pelo Espírito não significa que nunca cometeremos erros. O Espírito Santo não comete erros, mas nós, sim. Seguir a direção do Espírito é um processo que só pode ser apendido na prática. Começamos dando um passo de fé em direção a coisas que acreditamos que Deus colocou em nosso coração, e aprendemos ao nos tornar mais sábios e experientes a ouvir mais claramente e acertadamente.

Digo que é necessário ter ousadia para ser guiado pelo Espírito porque 1) só a ousadia dá passos de fé e 2) só a ousadia sobrevive quando se comete erros. Quando pessoas inseguras cometem erros, geralmente elas não tentam de novo. As pessoas ousadas cometem muitos erros, mas a sua postura é: "Vou continuar tentando até aprender a fazer isso do jeito certo."

Aqueles que sofrem por se sentirem condenados geralmente não acreditam que podem ouvir de Deus. Ainda que pensem que podem ter ouvido a voz de Deus e deem um passo de fé, um pequeno erro é um grande empecilho para eles. Cada vez que eles cometem um erro, entram debaixo de um novo fardo de culpa e condenação. Eles acabam desperdiçando todo o seu tempo nesse ciclo: cometem um erro — se sentem condenados — cometem outro erro — se sentem condenados, e assim por diante.

Este livro foi escrito para encorajar você a dar passos de fé e a ser tudo o que Deus o chamou para ser. Mas e se você ler este livro, der um passo de fé e duas semanas depois descobrir que cometeu um erro? Você vai ser ousado o bastante para orar, sábio o bastante para aprender com os seus erros e determinado o bastante para seguir em frente — ou você vai se sentir condenado e voltar a desperdiçar a sua vida?

Não há sentido em aprender a ser guiado pelo Espírito Santo se não entendermos que cometeremos alguns erros enquanto estivermos nessa jornada.

Você cometerá erros! Simplesmente não cometa o erro de pensar que nunca cometerá erros. Essa é uma expectativa não realista que o deixará suscetível ao desastre.

Não fico o tempo todo na expectativa de cometer erros, mas em minha mente já lidei com o fato de que às vezes cometo erros. Estou preparada mental e emocionalmente para não ser derrotada pelos erros e problemas quando eles surgirem.

Seja ousado. Esteja decidido a ser tudo o que Deus quer que você seja. Não se esconda mais atrás dos medos e das inseguranças. Se você já cometeu erros grosseiros em sua vida e está vivendo debaixo de condenação por causa deles, esta é a hora de *seguir em frente!* Você está lendo este livro por um motivo. Na verdade, você é exatamente o motivo pelo qual fui guiada a escrever este livro. Encare esta mensagem como algo pessoal, exatamente como se Deus estivesse falando diretamente com você por meio deste livro. Seja determinado a avançar em direção à vitória.

Quando cometemos erros, muitas vezes isso nos constrange. Nós nos sentimos estúpidos, e nos perguntamos o que será que as pessoas estão pensando a nosso respeito. Na verdade, há vários tipos de reações emocionais ao fracasso. Devemos nos lembrar de que é exatamente isso que elas são — "reações emocionais" —, e não ser controlados por elas.

Nem sempre podemos controlar nossas emoções, mas não temos de ser controlados por elas!

Não creio que uma pessoa fracassou até que pare de tentar.

Não veja os erros como fracassos; veja-os como ferramentas de aprendizado. Aprendemos mais com os nossos erros do que com qualquer outra coisa na vida. Posso ler a Bíblia e ver claramente que ela me diz para não desobedecer a Deus, e posso racionalmente saber o que ela diz, mas eu *realmente aprendo* a não desobedecer a Deus somente depois que o faço e sofro as consequências.

Alguns dizem: "Bem, prefiro não correr riscos a ficar me lamentando depois." Mas a eles eu digo: "Você pode acabar a carreira sem ter corrido riscos no fim das contas, mas mesmo assim vai se lamentar."

Quero encorajá-lo a ser tudo o que Deus planejou que você fosse em Cristo. Não seja a metade disso ou três quartos disso, mas seja tudo o que Deus o projetou para ser. Faça tudo o que Ele quer que você faça, e tenha tudo o que Ele quer que você tenha. Você nunca desfrutará a plenitude de Deus sem a Sua ousadia. A condenação destrói a ousadia, portanto não permaneça debaixo de condenação.

Provérbios 28:1 diz que os maus fogem quando ninguém os está perseguindo. Os maus estão fugindo o tempo todo. Eles fogem de tudo. Mas os que são irredutivelmente justos são ousados como o leão. E quer você sinta isso ou não, você é justo!

DOIS TIPOS DE JUSTIÇA

Aquele [Jesus] que não conheceu pecado, Ele [Deus] O fez pecado por nós; para que, Nele, fôssemos feitos justiça de Deus.

2 Coríntios 5:21

É impossível evitar uma vida de condenação sem realmente entender a justiça bíblica. Lembre-se de que a condenação destrói a confiança; portanto, devemos avançar e obter entendimento nessas áreas para podermos ter certeza da nossa libertação.

Há duas espécies de justiça que precisamos discutir: a justiça própria, que faz com que nos achemos superior aos demais; e a justiça de Deus. A justiça própria é adquirida através das atitudes corretas, ao passo que a justiça de Deus é dada pela graça através da fé em Jesus Cristo.

A justiça própria não deixa espaço para o erro humano. Só podemos tê-la se fizermos tudo perfeitamente. Assim que cometermos um erro, não a temos mais e nos sentimos mal porque a perdemos.

A justiça de Deus, porém, é exatamente o oposto. Ela foi dada para aqueles de nós que, embora desejássemos ser perfeitos, encaramos o fato de que não podemos ser perfeitos (exceto em nosso coração). Tentamos viver depositando nossa fé em nós mesmos e descobrimos que isso não funciona. Agora colocamos a nossa fé em Jesus e acreditamos que Ele se tornou a nossa justiça. À medida que nos revestimos de Cristo, como de uma túnica, nos revestimos de justiça e aprendemos a usá-la com ousadia na nossa caminhada terrena.

> *Porque todos [de vocês] quantos foram batizados em Cristo [em uma união espiritual e comunhão com Cristo, o Ungido, o Messias] de Cristo se revestiram (se vestiram com Cristo).*
>
> Gálatas 3:27

> *Regozijar-me-ei muito no SENHOR, a minha alma se alegra no meu Deus; porque me cobriu de vestes de salvação e me envolveu com o manto de justiça...*
>
> Isaías 61:10

Você e eu precisamos encarar a realidade. Passar o resto da vida sem perder a calma não é nem mesmo uma expectativa que podemos ter. Não podemos ser perfeitamente pacientes em todas as situações. Não podemos ser perfeitamente obedientes e sempre ouvir perfeitamente da parte de Deus.

Jesus não veio para aqueles que estão bem, mas para aqueles que precisam de um médico (Mateus 9:11-12). Ele veio para o "eu imperfeito" e para o "você imperfeito". Ele veio para que possamos ter êxito em sermos nós mesmos, ainda que isso signifique cometer alguns erros enquanto estamos nos tornando nós mesmos.

Certamente melhoramos à medida que continuamos a nossa caminhada de fé, mas se algum dia conquistássemos de fato a justiça própria, não precisaríamos realmente de um Salvador.

Pessoalmente, prefiro precisar de Jesus. Tornei-me extremamente ligada a Ele e não quero sequer pensar em tentar viver sem Ele. Nem sequer me esforço mais em prol da justiça própria. É claro que tento fazer o melhor possível, mas aceitei o meu estado como ser humano. Estou deixando Deus ser Deus, mas também estou me deixando ser humana.

Às vezes exigimos demais de nós mesmos. Tentamos fazer o impossível e o resultado é que passamos a vida frustrados e nos sentindo condenados. Se quisermos nos chicotear todas as vezes que cometemos um erro, vamos levar uma surra todos os dias. Viver debaixo de condenação é como levar uma surra. Pelo menos é assim que me vejo quando me sinto condenada.

Pense simplesmente nesta frase: "Estou debaixo de condenação." Isso é algo que dizemos com frequência, e a frase em si nos diz que estamos *debaixo de* alguma coisa. Jesus morreu para que pudéssemos ser elevados, e não para que vivêssemos *debaixo de* qualquer coisa.

CONDENAÇÃO E LEGALISMO X LIBERDADE E VIDA

O ladrão vem somente para roubar, matar e destruir; Eu vim para que tenham vida e desfrutem-na em abundância (ao máximo, até transbordar).

João 10:10

Aqueles que adotam uma abordagem legalista da vida sempre se sentirão condenados. Os legalistas só veem uma maneira de fazer as coisas; e geralmente é uma maneira muito restrita, sem espaço para erros e certamente sem espaço para a criatividade individual.

Por exemplo, as pessoas legalistas podem achar que só há uma maneira de orar. Elas podem ter certeza de que precisam estar com determinada postura, talvez de olhos fechados. Elas podem modificar a voz para fazer com que ela soe muito religiosa e usar muitas palavras sofisticadas para impressionar a Deus. Para elas, a oração deve ter um tempo específico. Elas podem achar que precisam orar por trinta minutos ou uma hora ou pelo tempo que seja o seu padrão particular. Se a qualquer momento elas não seguirem as regras, o resultado é condenação.

As pessoas legalistas são também, em geral, extremamente críticas. Elas não apenas têm regras para si mesmas, como também querem e esperam que os outros sigam as suas regras.

Lembro-me de quando eu era muito legalista e tinha uma maneira própria de orar. Meu marido, é claro, orava diferente de mim, e eu achava que ele estava fazendo tudo errado. Eu andava e orava, enquanto ele ficava sentado olhando pela janela e orando. Lembro-me de pensar que ele não poderia estar "no Espírito" se estivesse olhando pela janela. Eu até podia querer olhar pela janela também, mas essa não seria uma "postura religiosa", portanto, eu não me permitia esse prazer. Se eu estivesse sentada junto à janela e olhasse para fora com os olhos abertos falando com Deus, e tentasse chamar isso de oração, eu me sentia condenada. Descobri que me ressentia por conta da liberdade de Dave, o que é mais uma característica das pessoas legalistas.

O legalismo e a alegria não andam juntos. Em João 10:10, Jesus disse que Ele veio para que tivéssemos vida e desfrutássemos dela. Antes dessa afirmação Ele disse que o ladrão veio para roubar, matar e destruir. O ladrão de quem Jesus estava falando era, na verdade, uma atitude religiosa comum entre o povo do Seu tempo. Eram essas as pessoas que procuravam a justiça própria e não sabiam nada a respeito da justiça de Deus. Jesus veio para trazer luz às trevas, esperança aos desesperançados, descanso aos cansados e alegria ao mundo. Mas isso não podia acontecer a não ser que as pessoas abrissem mão da própria justiça e recebessem a de Jesus.

Ouvi um homem dizer que existe uma maneira certeira de saber se você está começando a experimentar a liberdade: sempre haverá alguém por perto com um espírito religioso para julgá-lo e criticá-lo pela sua liberdade e para tentar colocar você debaixo de condenação e fazê-lo se sentir culpado. Sim, o legalismo e a condenação andam juntos, como a mão e a luva.

Se realmente desejamos ser livres da condenação, precisamos abrir mão das atitudes e mentalidades legalistas. A Bíblia nos ensina a permanecer no caminho estreito; ela não nos ensina a ter uma mente estreita. O nosso jeito não é o único jeito, e o jeito de outra pessoa não é o único jeito.

Em Cristo há espaço para a criatividade e a liberdade. Ele pode levar uma pessoa a orar enquanto anda, outra a orar enquanto está deitada no chão com o rosto enterrado em um travesseiro, e outra a se ajoelhar junto à cama com as mãos cruzadas, com a cabeça voltada para o céu e com os olhos fechados. Uma pessoa verdadeiramente espiritual sabe que não é a postura que impressiona Deus, mas a atitude do coração.

Uma coisa com a qual os legalistas têm problema é com o fato de sermos considerados retos diante de Deus por intermédio de Cristo, e não em resultado de obras. Eles querem ser justos, mas é a justiça própria que eles buscam. O legalismo e o orgulho andam juntos, e o orgulho sempre precisa de algo para se gloriar. Por essa razão, as pessoas orgulhosas acham que precisam estar sempre "trabalhando" em alguma coisa.

É claro que Deus quer que trabalhemos, mas as obras espirituais são diferentes das obras carnais. Fazemos a obra de Deus em obediência a Ele, mas as nossas próprias obras são muitas vezes o resultado de um plano carnal que se destina a nos fazer adquirir algo em proveito próprio. Não é algo direcionado por Deus. Nós escolhemos o direcionamento e esperamos que Deus nos recompense por isso. Precisamos aprender que Deus não está à venda. Não podemos comprar o Seu favor, as Suas bênçãos ou a Sua aprovação com as nossas boas obras.

O apóstolo Paulo disse que os verdadeiros cristãos se gloriam em Cristo Jesus e não colocam a confiança na carne (Filipenses 3:3). Essa é a atitude correta, a qual devemos ter. O que quer que façamos corretamente é devido à bondade de Deus, e não à nossa. Não há espaço para nos gabarmos, de modo algum. Não há espaço para julgar os outros depois de nos avaliarmos adequadamente. Não podemos fazer nada além de receber o dom gratuito do amor e da graça de Deus, amá-lo em troca e deixar que o Seu amor transborde para os outros através de nós.

Quando a nossa confiança não está mais na carne, mas em Cristo, estamos prontos para avançar com convicção em direção a sermos tudo o que pudermos ser. Poderíamos dizer que fomos "marcados para o sucesso".

É triste dizer que muitos cristãos nunca chegam a ser libertos da justiça própria e da condenação. Eles sempre permanecem no nível mais baixo, no qual se esforçam para alcançar a justiça própria, por isso permanecem tentando, falhando e se sentindo condenados. Mas há um lugar mais alto para os filhos de Deus: aquele no qual somos libertos da condenação. Você e eu podemos desfrutar altos níveis de confiança que nos levam em direção ao sucesso em ser nós mesmos.

Lembre-se sempre de que as pessoas religiosas não aprovam a liberdade, a prosperidade, a justiça ou a confiança. Elas são a favor do cativeiro, dos fardos, da pobreza, da condenação e da culpa.

Vivi assim durante a maior parte da minha vida, e não vou mais fazer isso. Jesus morreu para *libertar* a mim e a você, mas precisamos tomar uma posição *ousada* e *receber* tudo o que Ele morreu para nos dar. Precisamos nos recusar categoricamente a viver *debaixo de condenação*. Quando pecamos, precisamos ser rápidos em nos arrepender, e depois *receber o perdão* e seguir em frente!

Fui julgada e criticada por ensinar as pessoas a gostarem de si mesmas e a viverem livres da condenação. As pessoas legalistas vivem com medo de que esse tipo de ensino libertador abra a porta para o mal. Elas dizem: "Joyce, você está dando às pessoas licença para pecar."

Durante algum tempo, recuei porque pensava que elas podiam estar certas. "Afinal, elas sabem mais do que eu", era o que minha mente dizia. "Elas têm toda aquela instrução e diplomas..."

Mas Deus começou a me mostrar que aqueles que realmente o amam certamente não estão procurando uma desculpa para pecar; eles estão fazendo tudo o que podem para ficar longe do pecado. Qualquer pessoa que realmente deseje pecar encontrará uma maneira de fazer isso, não importa o que ensinemos.

As pessoas não experimentam liberdade quando ensinamos o legalismo. Elas a experimentam quando ensinamos justiça e libertação da condenação. O legalismo nunca leva as pessoas para mais perto de Deus. Ele as deixa totalmente presas a regras e regulamentos e não lhes deixa tempo para ter comunhão com o Senhor. Na maior parte do tempo elas têm medo dele e não têm interesse em se aproximar de Deus porque falharam de alguma maneira e agora estão presas ao ciclo da culpa.

A condenação destrói o relacionamento pessoal com Deus. Ela rouba o prazer da comunhão com Ele. Ela destrói a confiança, a oração, a alegria, a paz e a justiça.

A condenação rouba, mata e destrói! Mas a justiça que encontramos em Jesus Cristo traz liberdade, alegria e vida em toda a sua abundância!

12
CONFIANÇA NA ORAÇÃO

> Porque em verdade lhes afirmo que, se alguém disser a este monte: Ergue-te e lança-te no mar, e não duvidar no seu coração, mas crer que se fará o que diz, assim será com ele. Por isso, lhes digo que tudo quanto em oração pedirdes, creiam (confiem e fiquem confiantes) que foi concedido e vocês o receberão.
>
> **MARCOS 11:23-24**

Escolhi a oração como o assunto deste capítulo final porque ela é crucial para alcançar qualquer tipo de sucesso. Se você e eu quisermos ter sucesso em sermos nós mesmos e êxito na vida, precisamos saber como orar e estar dispostos a dar à oração um lugar de prioridade em nossa vida diária.

Todo fracasso é, na essência, um fracasso na oração.

Se não orarmos, a melhor coisa que pode acontecer é nada; portanto, as coisas continuarão como estão — o que é bastante assustador por si só. Todos nós precisamos de mudança, e a maneira de conseguir isso é por meio da oração.

De nada adianta orar se não tivermos confiança (fé) na oração.

Creio que muitas pessoas estão insatisfeitas com sua vida de oração, e grande parte da insatisfação delas é causada pela falta de confiança em si mesmas e nas suas orações. Muitos cristãos hoje têm dúvidas sobre sua vida de oração e se sentem frustrados com ela. Até aqueles que oram ativamente de modo regular testemunham que estão frustrados porque acham que alguma coisa parece estar faltando; eles não têm certeza se estão orando da maneira certa.

Identifico-me com essa situação porque me senti assim por muitos anos. Era comprometida em orar todas as manhãs, mas ao finalizar a oração eu sempre me sentia vagamente frustrada. Finalmente perguntei a Deus o que estava errado comigo, e Ele respondeu em meu coração: "Joyce, o problema é que você acha que as suas orações não são boas o bastante." Eu estava de volta àquela velha história de me sentir condenada. Eu não estava desfrutando o meu tempo de oração porque não tinha confiança de que minhas orações eram aceitáveis. E se elas fossem "imperfeitas"?

Deus teve de me ensinar algumas lições sobre orar pela fé, sobre entender que o Espírito Santo estava me ajudando em oração e que Jesus estava intercedendo junto a mim. (Romanos 8:26; Hebreus 7:25). Ora, se duas das Pessoas da Divindade estavam me ajudando, certamente as minhas orações imperfeitas eram aperfeiçoadas no momento em que elas chegavam ao trono de Deus Pai! Esse conhecimento tirou muita pressão de cima de mim, mas eu ainda precisava aprender a confiar na oração feita com fé e simplicidade.

A ORAÇÃO FEITA COM FÉ E SIMPLICIDADE

E, quando orarem, não amontoem frases (não multipliquem palavras, repetindo-as sem cessar) como os gentios, pois eles presumem que serão ouvidos pelo seu muito falar.

Mateus 6:7

Precisamos aprender a confiar na oração feita com fé e simplicidade. Precisamos confiar no fato de que se dissermos simplesmente "Deus, ajude-me", Ele ouvirá e responderá. Podemos confiar que Deus será fiel para fazer o que lhe pedimos, desde que o nosso pedido esteja de acordo com a Sua vontade. Devemos saber que Ele quer nos ajudar porque Ele é o nosso Ajudador (Hebreus 13:6).

Frequentemente ficamos presos nas próprias palavras com relação à oração. Às vezes tentamos orar por tanto tempo, tão alto e de forma tão sofisticada que perdemos de vista o fato de que a oração é uma simples conversa com Deus. A extensão, o volume ou a eloquência da nossa oração não é a questão; a sinceridade do nosso coração e a confiança que temos de que Deus ouve e responderá é o que importa.

Às vezes tentamos parecer tão devotados e elegantes que nos perdemos. Nem sequer sabemos pelo que estamos tentando orar. Se pudéssemos nos libertar da tentativa de impressionar Deus, estaríamos muito melhor.

Há vários anos Deus me fez ver que todas as vezes que eu tinha a oportunidade de orar em voz alta diante de outras pessoas, minha oração era tudo, menos uma conversa com Ele. Na verdade, eu tentava impressionar as pessoas que estavam ouvindo a minha oração eloquente, que soava muito espiritual. Mas a oração feita com fé e simplicidade sai direto do coração daquele que ora e vai direto para o coração de Deus.

Com que frequência devemos orar? A Bíblia diz em 1 Tessalonicenses 5:17: "Sejam incessantes na oração [orando com perseverança]." Ou, como diz a versão Almeida Revista e Atualizada: "Orai sem cessar."

Se não entendemos do que se trata a oração feita com fé e simplicidade, essa instrução pode vir sobre nós como um fardo muito pesado. Talvez tenhamos a impressão de estarmos nos saindo bem ao orar por trinta minutos todos os dias, então como podemos orar sem nunca parar? Precisamos ter tal confiança na nossa vida de oração que a oração se torne simplesmente como respirar, algo sem esforço que fazemos todos os momentos em que estamos vivos. Não nos esforçamos nem temos dificuldade para respirar, a não ser que tenhamos problemas nos pulmões, e também não devemos nos esforçar e ter dificuldade para orar. Não creio que teremos dificuldades nessa área se realmente entendermos o poder da oração feita com fé e simplicidade.

Devemos nos lembrar de que não é a extensão ou o volume ou a eloquência da oração que a torna poderosa — a oração se torna poderosa pela sinceridade e pela fé por trás dela.

Se não nos sentirmos confiantes em relação às nossas orações, não oraremos muito, e muito menos oraremos sem cessar. Obviamente a terminologia "sem cessar" não significa que precisamos fazer algum tipo de oração formal a todo tempo, vinte e quatro horas por dia. Significa que ao longo de todo o dia devemos permanecer em atitude de oração. À medida que deparamos com cada situação ou à medida que vierem à nossa mente coisas que requerem atenção, devemos simplesmente submetê-las a Deus em oração.

Vemos então que a oração não pode depender de adotarmos determinada postura ou atitude ou de estarmos em determinado lugar.

ESTAMOS NO LUGAR DE ORAÇÃO

> *... a Minha casa será chamada casa de oração para todos os povos.*
> Isaías 56:7

Sob a Velha Aliança, o templo era a casa de Deus, o lugar de oração para o Seu povo. Sob a Nova Aliança, somos agora a casa de Deus, um edifício ainda em construção, mas ainda assim somos a Sua casa, o Seu tabernáculo, o lugar da Sua habitação. Portanto, devemos ser chamados casa de oração:

> *Porque somos colegas de trabalho (empreendedores em conjunto, cooperadores) de Deus; vocês são o jardim e a vinha de Deus e o campo de Deus sendo cultivado, [vocês são] edifício de Deus.*
> 1 Coríntios 3:9

> *Vocês não discernem e entendem que vocês [toda a igreja de Corinto] são o templo de Deus (o Seu santuário), e que o Espírito de Deus tem sua habitação permanente em vocês [para se sentir em casa em vocês, coletivamente como igreja e também individualmente]?*
> 1 Coríntios 3:16

Em Efésios 6:18, a Bíblia nos diz que podemos orar em qualquer lugar, a qualquer momento, a respeito de qualquer coisa, e que devemos estar alertas para fazer isso: "Orem em todo tempo (em toda ocasião, em todo momento) no espírito, com toda [espécie de] oração e súplica. Com esse fim, estejam alertas e vigiem com forte propósito e perseverança, intercedendo em favor de todos os santos (o povo consagrado de Deus)." Se crermos em Efésios 6:18 e o praticarmos, isso pode transformar nossa vida e certamente pode revolucionar nossas orações.

Parece que mesmo quando pensamos sobre algo pelo qual devemos orar, esse pensamento sempre é seguido por outro, equivocado: *Preciso me lembrar de orar por isto no meu momento de oração.*

Por que não paramos e oramos imediatamente? Porque nossa mente está aprisionada quando o assunto é oração. Acreditamos que devemos estar em certo lugar, com determinada disposição mental e em certa posição para podermos orar. Não é de admirar que não oremos muito. Se só oramos quando estamos sentados, parados e sem fazer absolutamente nada mais, a maioria de nós certamente não conseguirá orar sem cessar.

Todos nós devemos separar um tempo exclusivo para estar com Deus, sem fazer qualquer outra coisa, assumindo um compromisso com Ele e nos disciplinando para cumpri-lo. Somos diligentes para cumprir nossa agenda com o médico, o dentista e o advogado, mas de algum modo, no que se refere a Deus, achamos que podemos mudar os planos sem aviso prévio ou mesmo não aparecer.

Seu eu fosse Deus, me sentiria insultado!

Sim, devemos ter esses momentos específicos com Deus, mas, além disso, devemos exercitar nosso privilégio de orar ao longo de todo o dia. Nossas orações podem ser verbais ou silenciosas, longas ou curtas, públicas ou privadas — o importante é que oremos!

ORAÇÃO SECRETA

E, quando orardes, não sereis como os hipócritas; porque gostam de orar em pé nas sinagogas e nos cantos das praças, para serem vistos pelos homens. Em verdade vos digo que eles já receberam a recompensa.

> *Tu, porém, quando orares [deves fazer assim], entra no teu quarto e, fechada a porta, orarás a teu Pai, que está em secreto; e teu Pai, que vê em secreto, te recompensará em público.*
>
> Mateus 6:5-6

Embora algumas orações sejam orações públicas ou em grupo, a maior parte da nossa vida de oração é secreta; e deve ser assim. Em outras palavras, não temos de sair por aí anunciando o quanto oramos e todas as coisas pelas quais oramos.

"Oração secreta" significa muitas coisas. Significa que não anunciamos para todos que conhecemos como é a nossa experiência pessoal na oração. Oramos sobre as coisas e pessoas que Deus coloca em nosso coração, e mantemos as nossas orações entre nós e Deus, a não ser que tenhamos um motivo muito bom para fazer o contrário.

Não há nada de errado em dizer a um amigo: "Tenho orado pela juventude da nossa nação ultimamente", ou "Tenho orado para que as pessoas tenham um relacionamento mais sério com Deus". Compartilhar esse tipo de coisa é simplesmente parte de uma amizade, mas há coisas que Deus coloca em nosso coração para orar que devemos guardar para nós mesmos.

"Oração secreta" significa que não exibimos as nossas orações para impressionar as pessoas. Vemos um exemplo da maneira certa e da maneira errada de orar em Lucas 18.

A ORAÇÃO HUMILDE

> *Dois homens subiram ao templo [área cercada] para orar, um, fariseu, e o outro, coletor de impostos. O fariseu levantou-se com ostentação e começou a orar assim diante de si e para si mesmo: "Deus, eu Te agradeço porque não sou como o resto dos homens — chantagistas (ladrões), trapaceiros [injustos de coração e de vida], adúlteros — ou mesmo como este coletor de impostos aqui. Jejuo duas vezes por semana; dou os dízimos de tudo o que ganho."*
>
> *Mas o coletor de impostos [meramente], de pé, a distância, nem sequer erguia os olhos ao céu, mas batia no peito, dizendo: "Ó Deus, sê*

> *propício (sê gracioso, sê misericordioso) a mim, pecador extremamente mau que sou!"*
>
> *Digo-lhes que este homem desceu à sua casa justificado (perdoado e tornado justo e em posição reta perante Deus), e não o outro homem; pois todo aquele que se exalta será humilhado, mas aquele que se humilha será exaltado.*
>
> Lucas 18:10-14

Para que a oração seja chamada adequadamente de "oração secreta", ela deve vir de um coração humilde.

Nessa lição sobre a oração ensinada pelo próprio Jesus, vemos que o fariseu orava "com ostentação", o que significa que ele orava pretensiosamente, exibindo-se de forma extravagante. Não havia nada de secreto ou mesmo sincero em sua oração. A tradução da *Amplified Bible* citada no versículo diz até mesmo que ele orava "diante de si e para si mesmo". Em outras palavras, as orações do fariseu não subiram sequer dois centímetros em direção ao céu. Ele estava completamente absorto pelo que *ele* estava fazendo.

O segundo homem da história, um coletor de impostos desprezado e um "pecador mau" aos olhos da maioria das pessoas, humilhou-se, inclinou sua cabeça e em silêncio, com humildade, pediu a Deus que o ajudasse. Em resposta à sua oração sincera e humilde, uma vida inteira de pecado foi apagada em um instante. Esse é o poder da oração feita com fé e simplicidade.

Minha equipe ministerial e eu temos o privilégio de levar milhares de pessoas ao Senhor a cada ano em nossas conferências. Ver as pessoas que respondem ao apelo é fantástico. Falo com elas por alguns minutos e as conduzo em uma oração simples de fé e entrega. Nesses momentos curtos, uma vida inteira de pecado é removida e a justiça toma o seu lugar por meio da fé simples em Jesus Cristo.

Deus não nos deu um monte de diretrizes complicadas e difíceis de seguir. O Cristianismo pode ser simples, a não ser que pessoas complicadas o compliquem.

Edifique a sua fé no fato de que a oração feita com fé e simplicidade é poderosa. Creia que você pode orar em qualquer lugar, a qualquer hora, a respeito de qualquer coisa. Creia que as suas orações não precisam ser perfeitas, eloquentes ou longas. Mantenha-as curtas e simples, cheias de fé — e fervorosas.

A ORAÇÃO FERVOROSA

> *... a oração eficaz e fervorosa de um justo tem muito proveito.*
> Tiago 5:16, KJV, tradução livre

Para que a oração seja eficaz ela deve ser fervorosa. Entretanto, se entendermos mal a palavra *fervorosa*, podemos achar que temos de dar um jeito de despertar fortes emoções em nosso coração antes de orar; do contrário, nossas orações não serão eficazes.

Sei que durante muitos anos pensei assim, e talvez você também esteja confuso ou enganado da mesma forma. Eis algumas outras traduções de Tiago 5:16 que podem tornar o seu significado mais claro:

> *... a oração ardente (sincera, contínua) de um justo disponibiliza um tremendo poder [dinâmica em operação].*
> AMP

> *... a súplica sincera de um justo exerce uma poderosa influência.*
> WEYMOUTH, tradução livre

> *... as orações do justo têm um efeito poderoso.*
> MOFFATT, tradução livre

> *... um tremendo poder é disponibilizado através da oração sincera de um homem bom.*
> PHILLIPS, tradução livre

Creio que esse versículo quer dizer que nossas orações devem ser realmente sinceras; elas devem vir do nosso coração e não apenas da nossa mente.

Algumas vezes experimentei uma forte emoção ao orar, outras vezes até chorei. Mas há momentos em que não me sinto emotiva e não choro; sou sincera nas minhas orações, mas não *sinto* nada de extraordinário.

Não é possível orarmos com fé se determinarmos o valor das nossas orações com base nos sentimentos.

Lembro-me de apreciar muito os momentos de oração em que eu podia *sentir* a presença de Deus, e depois me perguntar o que havia de errado durante as vezes em que eu não *sentia* nada. Aprendi depois de algum tempo que a fé não se baseia nos *sentimentos* e nas emoções, mas no que você sabe dentro do coração.

AS ORAÇÕES DE UM JUSTO

... a oração eficaz e fervorosa de um justo tem muito proveito.
Tiago 5:16, KJV, tradução livre

Tiago 5:16 declara que a oração fervorosa de um "justo" é poderosa. "Justo" significa um homem que não está debaixo de condenação — alguém que tem confiança em Deus e no poder da oração; não está se referindo a um homem que não tem nenhuma imperfeição em sua vida.

O versículo seguinte usa Elias como exemplo: "Elias era um ser humano com uma natureza como a que nós temos [com sentimentos, afeições e uma constituição como a nossa]; e ele orou sinceramente para que não chovesse, e não caiu chuva na terra por três anos e seis meses."

Elias era um homem de Deus poderoso que nem sempre se comportava de maneira perfeita, mas ele ainda assim fazia orações poderosas. Ele não permitiu que as suas imperfeições roubassem a sua confiança em Deus.

Elias tinha fé, mas também tinha medo. Ele era obediente, mas às vezes também era desobediente. Elias era um homem que se arrependia, amava a Deus e queria conhecer a vontade de Deus e cumprir o seu chamado para a sua vida. Mas algumas vezes ele cedia às fraquezas humanas e tentava evitar as consequências da vontade e do chamado de Deus.

De muitas formas, Elias era muito semelhante a você e a mim. Em 1 Reis nós o vemos se movendo em um tremendo poder, clamando por fogo do céu e matando 450 profetas de Baal mediante a ordem de Deus. Então, imediatamente depois, em 1 Reis 19, nós o vemos fugindo com medo de Jezabel, tornando-se pessimista e depressivo, e até desejando morrer.

Como muitos de nós, Elias deixou que as suas emoções o dominassem. O fato de Tiago 5:16 nos instruir a fazer orações poderosas e eficazes como os homens e mulheres justos de Deus, e depois fazer um discurso sobre Elias e sobre como ele era um ser humano assim como nós e que, no entanto, fez orações poderosas, deveria nos dar "munição bíblica" suficiente para derrotar a condenação quando ela se levantar para nos dizer que não podemos orar poderosamente por causa de nossas fraquezas e nossos erros.

OS HOMENS QUE ORAVAM

Disse-lhes Jesus uma parábola sobre o dever de orar sempre e nunca esmorecer.

Lucas 18:1

A Bíblia está cheia de relatos de homens e mulheres que andaram com Deus e que consideravam a oração como uma questão central em suas vidas.

Jesus orava:

Tendo-se levantado alta madrugada, saiu, foi para um lugar deserto e ali orava.

Marcos 1:35

Certamente a oração era importante para Jesus; do contrário, Ele teria ficado na cama. A maioria de nós não se levanta cedo pela manhã a não ser que tenha algo muito importante a fazer.

Vemos que Jesus não ficava se exibindo enquanto orava. No exemplo citado, Ele foi a um lugar privado, onde a Bíblia diz simplesmente, "e ali orava".

Davi orava:

> *Ó Deus, tu és o meu Deus forte; eu te busco ansiosamente; a minha alma tem sede de ti; meu corpo te almeja, como terra árida, exausta, sem água.*
>
> Salmos 63:1

Davi fazia o que chamo de oração "de busca por Deus". Muitas vezes por dia me vejo sussurrando em meu coração ou mesmo em voz alta: "Oh, Deus, preciso de Ti!" Essa é uma oração simples, mas poderosa. Deus responde a esse tipo de oração. Ele nos ajuda, manifesta a Sua Presença a nós, e é glorificado pela nossa dependência dele.

Outras vezes me ouço dizendo ao Senhor: "Pai, ajuda-me com isto." Fazer essa oração se tornou um hábito, um hábito que espero que eu nunca quebre.

A Bíblia diz que não temos porque não pedimos (Tiago 4:2). Por que não pedir ajuda com frequência?

Daniel orava:

> *Daniel, pois, quando soube que a escritura estava assinada, entrou em sua casa e, em cima, no seu quarto, onde havia janelas abertas do lado de Jerusalém, três vezes por dia, se punha de joelhos e orava, e dava graças diante do seu Deus, como costumava fazer.*
>
> Daniel 6:10

Daniel certamente acreditava que a oração era importante. Um decreto real havia sido emitido dizendo que durante trinta dias qualquer pessoa que fizesse uma petição a qualquer deus ou homem que não fosse o rei seria lançada em uma cova cheia de leões.

Daniel orou como sempre fazia. Ele aparentemente sabia que a proteção de Deus era mais importante que as ameaças dos homens.

Os apóstolos oravam:

> *E, quanto a nós, continuaremos a nos dedicar firmemente à oração e ao ministério da palavra.*
>
> Atos 6:4

Os apóstolos estavam tão ocupados com a distribuição de alimentos e com outros detalhes corriqueiros que as responsabilidades administrativas estavam interferindo no tempo deles de oração e estudo da Palavra. Então eles escolheram sete homens para ajudar com essas obrigações práticas para que eles pudessem continuar a se *dedicar* à oração e à Palavra de Deus.

Às vezes temos de mudar coisas em nossa vida para dar maior espaço à oração. Temos de eliminar outras coisas que são menos frutíferas. Você e eu não teremos sucesso em nada se não orarmos.

"Estou ocupado demais" — é a desculpa mais usada, e também a mais esfarrapada. Nós organizamos o nosso horário (as nossas prioridades), e se sobrar algum tempo depois que fizemos todas as demais coisas, então oramos. No entanto, precisamos compreender que a forma como usamos o nosso tempo nos diz o que é importante para nós. Se não oramos, um dos motivos é porque não vemos valor naquilo que deveríamos ver.

A História nos dá relatos de muitas outras pessoas que, desde que a Bíblia foi escrita, reconheceram tanto o valor quanto a necessidade da oração.

Dizem que Martinho Lutero costumava afirmar: "Tenho tanto trabalho que não posso realizá-lo sem passar três horas por dia em oração."

Nós poderíamos nos perguntar como é possível dedicar três horas por dia à oração com todas as outras coisas que temos para fazer, mas Martinho Lutero entendia que sua atitude precisava ser exatamente o oposto.

Não estou sugerindo que todos devem orar três horas por dia. O ponto é que até as pessoas muito ocupadas e que têm coisas muito importantes para fazer reservam um longo tempo para a oração.

John Wesley supostamente disse: "Deus não faz nada a não ser em resposta à oração."

Na vida cristã, a oração não é opcional. Se quisermos realizar alguma coisa na vida, precisamos orar.

Moisés orou e Deus mudou de ideia.

A ORAÇÃO MUDA PESSOAS E CIRCUNSTÂNCIAS

> *Disse mais o S*ENHOR *a Moisés: "Tenho visto este povo, e eis que é povo de dura cerviz. Agora, pois, deixa-me, para que se acenda contra eles o Meu furor, e Eu os consuma; e de ti farei uma grande nação."*
>
> *Porém Moisés suplicou ao S*ENHOR*, seu Deus, e disse: "Por que se acende, S*ENHOR*, a Tua ira contra o Teu povo, que tiraste da terra do Egito com grande fortaleza e poderosa mão?"*
>
> *Por que hão de dizer os egípcios: "Com maus intentos os tirou, para matá-los nos montes e para consumi-los da face da terra?" Torna-te do furor da Tua ira e arrepende-te deste mal contra o Teu povo. Lembra-te [encarecidamente] de Abraão, de Isaque e de Israel, Teus servos, aos quais por Ti mesmo tens jurado e lhes disseste: "Multiplicarei a vossa descendência como as estrelas do céu, e toda esta terra de que tenho falado, dá-la-ei à vossa descendência, para que a possuam por herança eternamente."*
>
> *Então, se arrependeu o S*ENHOR *do mal que dissera havia de fazer ao povo.*
>
> Êxodo 32:9-14

Na Bíblia há vários outros exemplos semelhantes a esse: situações que descrevem como a oração sincera pode fazer Deus mudar de ideia.

Há momentos em que posso sentir que Deus está ficando cansado de tolerar alguém que não lhe está obedecendo, e me sinto levada a orar a Deus para que Ele seja misericordioso com aquela pessoa e dê àquele indivíduo mais uma chance. Estou certa de que outros oraram por mim da mesma maneira quando precisei.

Como Jesus disse aos Seus discípulos no Getsêmani, devemos "vigiar e orar" (Mateus 26:41). Precisamos orar uns pelos outros, e não julgar e criticar uns aos outros. Há momentos em que não precisamos mais orar pelas pessoas ou situações, e que devemos deixá-las nas mãos de Deus. Às vezes as pessoas ficarão melhor, no fim das contas, se Deus for severo com elas naquele momento. Precisamos ser guiados pelo Espírito quando orarmos, mas precisamos orar.

Se observarmos as pessoas, poderemos perceber quando elas precisam de encorajamento ou quando estão deprimidas, temerosas, inseguras ou passando por uma série de problemas perceptíveis. O fato de Deus permitir que discirnamos a necessidade delas é a nossa oportunidade de sermos parte da resposta. Podemos orar e tomar a atitude que o Senhor nos levar a tomar. Devemos nos dispor a sermos parte da resposta para os problemas das pessoas, e não parte do problema. Falar com os outros sobre o que está errado com as pessoas que conhecemos não supre a necessidade delas. Em vez disso, devemos orar!

Recentemente vi duas mulheres saindo de uma confeitaria, e as duas estavam com cerca de cinquenta a setenta quilos acima do peso. Cada uma delas estava carregando uma caixa inteira de rosquinhas, e pude sentir que elas tinham um problema emocional grave e estavam comendo para se consolar. Simplesmente orei: "Deus, ajude essas duas mulheres a perder peso, e ajude-as a saber que Tu és a resposta para o problema delas. Envia o obreiro perfeito para a vida delas, alguém que possa dizer uma palavra no tempo certo a elas. Amém."

Não creio que as pessoas fiquem ofendidas por orarmos por elas. Houve momentos em minha vida em que precisei perder peso, e eu esperava que alguém estivesse orando por mim. Eu preferiria ter as orações das pessoas a ser julgada por elas.

Frequentemente vemos situações como essa e pensamos: "Que vergonha, a última coisa de que elas precisam é de uma rosquinha", ou vamos contar a alguém o que vimos, mas não fazemos a única coisa que pode fazer a diferença: orar!

Entretanto, jamais iremos orar por esse tipo de situação se tivermos uma postura errada com relação à oração. Se acharmos que precisamos estar em determinado lugar, em certa posição, com certa disposição mental que seja "espiritual", Satanás roubará de nós a nossa oração, e muito da obra de Deus não será realizada.

Algumas vezes, nós, cristãos, espiritualizamos certas coisas em excesso, a ponto de não conseguirmos fazê-las, quanto mais desfrutá-las. Creio que se as pessoas entendessem a simplicidade da oração, elas orariam mais, porque poderiam desfrutar o momento da oração e não sentir que estão sempre *fazendo um enorme esforço* para orar.

Durante anos, tentei mudar meu marido, meus filhos e a mim mesma, até que Deus finalmente me convenceu de que eu estava me esforçando, e não orando. Ele me mostrou que eu precisava apenas orar e deixar a parte do trabalho com Ele.

Sugiro que você faça o mesmo.

Quem está na sua roda de oleiro? Se você consegue se lembrar de alguém, faça a si mesmo e a ele um favor, deixe-o sair.

Nós não somos o oleiro, mas Deus é, e certamente não sabemos como "consertar" as pessoas. Algumas vezes podemos ver o que acreditamos ser o problema na vida de alguma pessoa, mas não sabemos como consertá-lo porque não sabemos o que se quebrou, para início de conversa.

Vamos usar o exemplo das duas mulheres na confeitaria. Eu pude ver o problema delas — elas estavam extremamente acima do peso. Mas não sabia por que elas estavam acima do peso. Talvez elas fossem indisciplinadas, mas eu não sentia que esse era o problema. Talvez ambas tivessem sofrido abuso físico, mental ou sexual. Talvez elas tivessem passado por uma vida de rejeição e dor emocional. Talvez se sentissem envergonhadas e tenham começado a comer como uma forma de consolo, caindo em uma armadilha da qual não conseguiam escapar.

Quando tentamos *consertar* as pessoas, geralmente nós as magoamos ainda mais, porque *supomos* uma série de coisas que podem ser verdadeiras ou não acerca delas. As pessoas que estão sofrendo não precisam que alguém com um espírito de orgulho tente consertá-las, elas precisam de aceitação, amor e oração.

De forma presunçosa, eu tentava consertar minha família, e o resultado era que eu, na verdade, os afastava. Finalmente, entendi que eu não estava conseguindo o que queria porque não estava orando e confiando em Deus para consertá-los no tempo e do jeito dele. O que é surpreendente é que agora ou Deus os consertou ou consertou a mim, porque gosto deles como são. De uma forma ou de outra, sem que eu sequer soubesse quando ou como, Deus cuidou do problema.

Ore! Ore! Ore! Essa é a única maneira de realizar as coisas na economia de Deus. Deus tem as Suas diretrizes e "você não tem porque não pede" (Tiago 4:2, paráfrase minha) é uma delas. Se fizermos as coisas do jeito dele, sempre teremos bons resultados. Se fizermos as coisas do nosso jeito, sempre acabaremos infelizes e sem alcançar resultado algum.

PODER E AUTORIDADE ATRAVÉS DA ORAÇÃO

E Eu lhe digo, você é Pedro [grego, Petros — um grande pedaço de rocha], e sobre esta pedra [grego, petra — uma grande rocha como Gibraltar] edificarei a Minha igreja, e as portas do Hades (os poderes da região do inferno) não prevalecerão contra ela [ou serão fortes em detrimento dela ou resistirão a ela].

Eu lhe darei as chaves do Reino dos céus; e tudo o que você ligar (declarar impróprio ou ilegal) na terra será o que já está ligado nos céus. E tudo o que você desligar (declarar legítimo) na terra será o que já está desligado nos céus.

Mateus 16:18-19

Por sermos não apenas criaturas físicas, mas também seres espirituais, podemos atuar na esfera física e afetar a esfera espiritual. Esse é um privilégio e uma vantagem muito específicos.

Por exemplo, se eu tenho um neto que está passando por dificuldades na escola, posso entrar na esfera espiritual através da oração e criar uma ação que cause mudança naquela situação. "Deus é Espírito..." (João 4:24), e toda resposta que precisamos para cada situação está nele.

Quando digo que podemos "entrar na esfera espiritual", não estou falando de algo "fantasmagórico" ou mesmo excessivamente espiritual. Cada um de nós que ora sinceramente entra na esfera espiritual através das nossas orações. Estamos aqui na terra em corpo, mas em espírito entramos no lugar em que Deus está e ali fazemos um pedido a Ele pela fé.

Em Mateus 16:19, Jesus disse a Pedro que Ele lhe daria as chaves do Reino dos céus. Chaves abrem portas, e creio que essas chaves (pelo menos em parte) podem representar vários tipos de oração. Em sua conversa com Pedro, Jesus prosseguiu ensinando a ele sobre o poder de ligar e desligar, que opera com base no mesmo princípio espiritual.

Jesus também estava falando a Pedro sobre o poder da fé no versículo 18, e sabemos que uma maneira pela qual a fé é liberada é através da oração. O poder de atar e desatar (ligar e desligar) também é exercido na oração.

Em nome de Jesus podemos amarrar (impedir) o diabo, e no Seu nome podemos liberar anjos pedindo que eles sejam enviados do céu para dar proteção para nós ou para outros (Mateus 26:53; Hebreus 1:7,14).

Quando você e eu oramos por libertação de algum tipo de cativeiro em nossa vida ou na vida de outros, estamos de fato amarrando esse problema e liberando uma resposta. O ato de orar amarra o mal e libera o bem.

Em Mateus 18 vemos Jesus lidando novamente com essa questão de atar e desatar, a única diferença é que, desta vez, Ele está acrescentando instruções sobre a oração de concordância e enfatizando quanto poder esse tipo de oração tem.

ORANDO A VONTADE DE DEUS

Em verdade vos digo, tudo o que vocês proibirem e declararem impróprio e ilegal na terra será o que já é proibido no céu, e tudo o que vocês permitirem e declararem próprio e legal na terra será o que já é permitido no céu.

Novamente lhes digo, se dois de vocês na terra concordarem (se harmonizarem, fizerem uma sinfonia juntos) sobre qualquer coisa que pedirem, ela acontecerá e será feita por Meu Pai que está nos céus.

Mateus 18:18-19

Gostaria de chamar a sua atenção para o fato de que a *Amplified Bible* deixa claro que a nossa autoridade é trazer à Terra o que Deus deseja, e não fazer com que a nossa vontade aconteça. As orações que estão fora da vontade de Deus não serão respondidas, exceto com um "não"!

Como crentes, temos autoridade espiritual e devemos exercê-la. Uma das maneiras de fazer isso é por meio da oração. Deus deseja usar os servos que se submetem a Ele para trazer a Sua vontade do céu para a Terra por meio da oração, como nos foi ensinado por Jesus: "Seja feita a Tua vontade, assim na terra como no céu" (Mateus 6:10).

Que privilégio tremendo! As nossas orações podem não apenas afetar o nosso destino, mas nós mesmos podemos ser usados por Deus para ajudar outros a terem êxito em serem eles mesmos e, portanto, a experimentarem a plenitude de tudo o que o Senhor planejou para eles na vida.

SETE TIPOS DE ORAÇÕES PARA ORAR COM FACILIDADE

Orem em todo o tempo (em toda ocasião, em todas as épocas) no Espírito, com toda [espécie de] oração e súplica...

Efésios 6:18

Agora eu gostaria de discutir os sete tipos de oração que vemos na Palavra de Deus. Deveríamos exercitar regularmente os diversos tipos de oração. Essas orações são simples, podem ser feitas em qualquer lugar e a qualquer hora e são muito eficazes quando feitas por alguém que crê.

A ORAÇÃO DE CONCORDÂNCIA

Primeiramente, deixe-me dizer que creio que esta oração só pode ser feita por duas ou mais pessoas que são comprometidas em viver em concordância.

Esta oração não é para pessoas que costumam viver em contenda e depois decidem que precisam concordar sobre a necessidade de algum tipo de milagre porque estão desesperadas. Deus honra as orações daqueles que pagam o preço de viver em unidade.

Considerando que o poder da nossa oração se multiplica quando estamos em concordância com os que nos cercam (1 Pedro 3:7), precisamos estar em concordância o tempo todo, não somente quando enfrentamos uma situação de crise. Haverá momentos em nossa vida em que lutaremos contra algo que é maior do que nós mesmos. Nesses momentos, é sábio de nossa parte orar junto com alguém que está em concordância conosco naquela situação. Deixe-me dar um exemplo.

Dave e eu costumamos orar em concordância enquanto dirigimos pela estrada. Estamos tentando quebrar o mau hábito de "orar sobre isso mais tarde" e desenvolver o novo hábito de "orar imediatamente". Quando possível, damos as mãos enquanto oramos em concordância. Não creio que haja nada de "mágico" em darmos as mãos ao orarmos — mas, no nosso caso, quando nos tocarmos, parece que realmente estamos em concordância, não apenas sobre determinada questão, mas em geral.

Se você sente que não tem ninguém em sua vida com quem você pode concordar em oração, não se desespere. Você e o Espírito Santo podem concordar. Ele está aqui na terra, com você e em você como filho de Deus.

Muitas pessoas nunca alcançarão sucesso em ser elas mesmas simplesmente porque não conseguem sequer entrar em concordância com Deus.

Lembro-me de uma mulher — que agora trabalha para mim — que uma vez disse que não conseguiu acreditar quando Deus começou a colocar em seu coração que ela iria trabalhar na minha equipe em tempo integral. Essa mulher foi dona de casa por trinta e cinco anos e tinha dificuldades em acreditar que poderia fazer qualquer outra coisa. Seus filhos estavam crescidos e era hora de entrar em uma nova etapa em sua vida. Deus continuou encorajando-a a se candidatar a um cargo no nosso ministério, e ela ficava dizendo a Ele que não era capaz, que não sabia fazer nenhuma das coisas de que precisávamos.

O Senhor não apenas a estava encorajando a se candidatar a um cargo conosco, como também estava, ao mesmo tempo, colocando em seu coração que ela fosse cursar um seminário em sua igreja por um ano, antes de vir trabalhar conosco. Ela estava absolutamente certa "na carne" de que não podia fazer nenhuma das duas coisas, mas finalmente caiu de joelhos e disse: "Espírito Santo, eu concordo contigo. Se Tu dizes que eu posso fazer isto, então acredito que posso." Ela realmente entrou para o seminário e se candidatou a trabalhar conosco. Agora ela trabalha na nossa equipe há aproximadamente quatorze anos.

Há poder na concordância! Faça a oração de concordância, principalmente quando você sentir a necessidade de uma dose extra de poder!

A ORAÇÃO DE PETIÇÃO

Esta oração é de longe a que é usada com mais frequência, mas talvez não devesse ser, como talvez você concorde comigo mais tarde. Quando fazemos uma petição a Deus, pedimos algo para nós mesmos. Quando oramos pelos outros, estamos intercedendo (abordaremos esse tipo de oração mais tarde). Lamento dizer que a maioria de nós está interessada principalmente em si mesma. Por esse motivo, costumamos exercer o nosso direito de fazer petições a Deus. É claro que não é errado pedir a Deus que faça coisas por nós, mas nossas petições devem ser bem equilibradas com louvor e ações de graças (um assunto que também abordaremos mais tarde).

É importante fazer petições a Deus sobre o nosso futuro — orar e pedir a Ele ajuda para que tenhamos êxito em sermos nós mesmos. O nosso sucesso não virá com o empenho pessoal ou o esforço vão. Ele só virá em resultado da graça de Deus.

Você e eu precisamos somar o nosso esforço à graça de Deus, mas esforço sem a graça é inútil. A graça vem quando pedimos por ela. Pedir é fazer a oração de petição. Mais uma vez, não há dificuldade; esse tipo de oração pode ser feita com facilidade.

Todos os dias, quando me sento para escrever e trabalhar nos meus sermões ou livros, peço a Deus para me ajudar. Faço isso de forma breve e sem nenhuma postura especial ou palavras eloquentes, mas sei que estou clamando pelo poder de Deus para que me ajude a ser tudo o que posso ser naquele dia específico.

Você e eu podemos ser ousados em pedir a Deus por qualquer tipo de necessidade em nossa vida. Não estamos restritos a certo número de pedidos por dia. Podemos nos sentir à vontade falando com Deus sobre qualquer coisa que nos diz respeito, e pedir pelas nossas necessidades e desejos é um dos tipos de oração que somos instruídos a fazer.

A ORAÇÃO DE LOUVOR E A ORAÇÃO DE AÇÕES DE GRAÇAS

Louvor é uma narração ou um conto no qual descrevemos as coisas boas sobre um indivíduo, no caso, Deus. Devemos louvar a Deus continuamente. Quando digo continuamente, quero dizer ao longo de todo o dia. Devemos louvá-lo por Suas obras poderosas, pelas coisas que Ele criou e até pelas coisas que Ele ainda fará na vida de cada um de nós.

Devemos também agradecer sempre a Deus, nos bons momentos e principalmente nos momentos difíceis. Quando as orações de petição superam as orações de louvor e ações de graças na nossa vida de oração, creio que isso diz alguma coisa sobre o nosso caráter.

As pessoas gananciosas pedem, pedem, pedem e raramente sequer apreciam o que já receberam. Não creio que Deus libere a plenitude de tudo o que Ele planejou para nós até que nos tornemos gratos pelo que já nos foi dado.

Considere os seguintes versículos e ande em obediência a eles:

> *Falem entre si com salmos e hinos e cânticos espirituais, oferecendo louvor com as vozes [e instrumentos] e fazendo melodias com todo o*

seu coração ao Senhor, dando graças em todo o tempo e por tudo em nome do nosso Senhor Jesus Cristo a Deus Pai.
Efésios 5:19-20

Damos continuamente graças a Deus, o Pai de nosso Senhor Jesus Cristo (o Messias), quando oramos por vocês.
Colossenses 1:3

E tudo o que fizerem [não importa o que seja] em palavra ou em ação, façam tudo em nome do Senhor Jesus e na [dependência da] Sua Pessoa, dando louvor a Deus Pai por Ele.
Colossenses 3:17

Orem sem cessar [orando com perseverança]. Deem graças [a Deus] em tudo [independentemente de quais sejam as circunstâncias, sejam gratos e deem graças], porque esta é a vontade de Deus para vocês [que estão] em Cristo Jesus [o Revelador e Mediador dessa vontade].
1 Tessalonicenses 5:17-18

Antes de tudo, advirto e encorajo que sejam oferecidas petições, orações, intercessões e ações de graças em favor de todos os homens.
1 Timóteo 2:1

Por meio Dele, portanto, ofereçamos constantemente e em todo o tempo a Deus um sacrifício de louvor, que é o fruto de lábios que com gratidão reconhecem, confessam e glorificam o Seu nome.
Hebreus 13:15

Uma vida poderosa vem através das ações de graças. Uma das maneiras pelas quais podemos "orar sem cessar" é sendo gratos ao longo de todo o dia, louvando a Deus pela Sua bondade, misericórdia, benignidade, graça, longanimidade e paciência.

A ORAÇÃO DE INTERCESSÃO

Interceder significa *se colocar na brecha* por outra pessoa (ver Ezequiel 22:30).

Se existe uma brecha no relacionamento das pessoas com Deus devido a um pecado específico na vida delas, temos o privilégio de nos colocarmos nessa brecha e orar por elas. Se elas têm uma necessidade, podemos interceder por elas e esperar vê-las consoladas e encorajadas enquanto esperam pela mudança. Também podemos ter a expectativa de vê-las receberem vitória e ter as necessidades supridas.

Não sei o que eu faria se as pessoas não intercedessem por mim. Literalmente milhares de pessoas já me disseram ao longo dos anos que oram por mim. Eu realmente peço a Deus por intercessores. Suplico a Ele que me dê pessoas para intercederem por mim e pelo cumprimento do ministério para o qual Ele me chamou.

Precisamos uns dos outros! Se nossas orações só forem cheias de petições e estiverem vazias de intercessão, isso também diz algo sobre o nosso caráter — assim como quando a petição supera o louvor e as ações de graças na nossa vida de oração.

Descobri que quanto mais sou liberta do egoísmo, mais oro pelos outros — e vice-versa.

Orar pelos outros equivale a plantar sementes. Todos nós sabemos que precisamos plantar se quisermos colher (Gálatas 6:7). Plantar sementes na vida de outras pessoas é uma maneira segura de colher resultados em nossa própria vida. Cada vez que oramos por outra pessoa, estamos garantindo o próprio sucesso.

Se você quer ter êxito em ser você mesmo, recomendo enfaticamente que você inclua abundante intercessão pelos outros na sua vida de oração. Dê aos outros aquilo que você precisa ou deseja.

Se você quer alcançar sucesso, ajude outra pessoa a ter êxito orando por ela. Se você quer que o seu ministério tenha êxito, ore pelo ministério de outra pessoa. Se você quer que o seu negócio tenha êxito, ore pelo negócio de outro. Se você precisa de libertação de algum mau hábito que está atrapalhando e detendo você, ore por alguém que tem uma necessidade em uma área semelhante.

Lembre-se de que geralmente somos tentados a julgar, mas fazer isso apenas nos mantém cativos. Ore pelas pessoas em vez de julgá-las, e você fará progresso muito mais depressa na direção do cumprimento do seu destino.

A ORAÇÃO DE ENTREGA

Quando somos tentados a nos preocupar com alguma situação na vida, devemos fazer a oração de entrega.

Por exemplo, se fiz o meu melhor para chegar a um compromisso a tempo, e devido a circunstâncias além do meu controle parece que vou me atrasar, em vez de ficar histérica, aprendi a fazer a oração de entrega. Digo: "Senhor, estou entregando esta situação a Ti; faça alguma coisa para que as coisas deem certo." Descobri que quando faço isso, a coisas dão certo. Ou o Senhor me concede favor junto àqueles que devo encontrar e eles entendem perfeitamente o que aconteceu, ou chego e descubro que eles também estavam atrasados e preocupados que eu tivesse de esperar por eles.

Deus intervém nas situações que nos afligem quando as entregamos a Ele.

Entregue ao Senhor os seus filhos, o seu casamento, os seus relacionamentos e principalmente qualquer provação que esteja vivendo ou preocupação que o aflige: "Lançando sobre Ele todos os seus cuidados [todas as suas ansiedades, todas as suas preocupações, de uma vez por todas], porque Ele cuida de vocês com afeto e se preocupa com vocês atentamente" (1 Pedro 5:7).

Para ter sucesso em sermos nós mesmos, precisamos nos entregar a Deus continuamente, colocando em Suas mãos as coisas que parecem estar nos detendo. Só Deus pode cuidar de situações assim adequadamente.

Descobri que, na minha vida pessoal, quanto mais eu tentava cuidar das coisas por conta própria, maior era o caos que a minha vida se tornava. Eu era muito independente e achava difícil me humilhar e admitir que precisava de ajuda. Entretanto, quando finalmente me submeti a Deus nessas áreas e descobri a alegria de lançar sobre Ele toda a minha ansiedade, eu não pude acreditar que havia vivido tanto tempo sob tamanha pressão.

A preocupação faz com que nos sintamos pressionados; a oração promove a paz.

Você e eu talvez tenhamos um plano para como as coisas devem acontecer em nossa vida, e talvez iremos descobrir que as coisas não acontecem de acordo com esse plano. Isso pode ser decepcionante a princípio, mas a melhor coisa a fazer é *entregar tudo a Deus em oração*. Como costumamos dizer: "Deixe Deus ser Deus."

Há muito a ser feito em nossa vida antes de atingirmos a plenitude do nosso destino.

Quando olho para trás e vejo os anos que se passaram, tudo o que posso dizer é "uau!" É quase inacreditável quantas coisas aconteceram.

Só Deus realmente sabe o que precisa ser feito, e Ele é o Único que está qualificado para fazê-lo. Quanto mais sinceramente nos entregarmos a Ele, maior progresso faremos.

Faça a oração de entrega frequentemente. Lembre-se de que qualquer hora é hora para orar.

A ORAÇÃO DE CONSAGRAÇÃO

O último tipo de oração é a oração de consagração, a oração na qual entregamos nós mesmos a Deus. Na oração de consagração, dedicamos nossa vida e tudo o que somos a Ele.

Lembro-me de estar sentada em uma igreja durante o culto há muitos anos. Era domingo de missões, e enquanto o órgão tocava e cantávamos uma canção inspirada em Isaías, fui movida em meu coração a me oferecer a Deus para o Seu serviço. Lembro-me de cantar as palavras que todos os outros estavam cantando: "Eis-me aqui, Senhor... Envia-me!"

Eu havia cantado essas mesmas palavras em outros domingos de missões, mas daquela vez foi diferente. Algo estava se agitando no meu coração e nas minhas emoções. Havia lágrimas em meus olhos, e eu pude sentir que estava realmente me entregando a Deus para que a Sua vontade fosse feita em mim.

Muitas vezes penso naquele domingo. Nada aconteceu imediatamente; na verdade, não me lembro de que nada em particular tenha acontecido durante anos depois daquilo. Mas, de algum modo, eu sabia em meu coração que a minha entrega a Deus naquele domingo específico tinha algo a ver com o chamado que recebi para o ministério muitos anos depois.

Para que Deus nos use, precisamos nos consagrar a Ele.

Ainda me consagro a Deus em oração regularmente. Digo: "Eis-me aqui, Senhor. Sou Tua; Faze comigo conforme quiseres." Então, algumas vezes acrescento: "Espero que eu goste do que Tu escolheres, Senhor, mas se não gostar, eu o farei assim mesmo; que seja feita a Tua vontade, e não a minha."

Quando verdadeiramente nos consagramos ao Senhor, abrimos mão do fardo de tentar governar a própria vida. Eu prefiro seguir a Deus voluntariamente a me esforçar para fazer com que Ele me siga. Ele sabe para onde está indo, e sei que chegarei ao meu destino em segurança se permitir que Ele me dirija.

Quando dedicamos nossos filhos ao Senhor, estamos, de fato, entregando-os a Ele para os Seus propósitos. Estamos dizendo: "Senhor, sei que Tu tens um propósito específico para essas crianças, e quero que faças a Tua obra do Teu jeito na vida delas. Eu as criarei para Ti, não para mim mesma, para Teu propósito e Tua vontade."

A consagração é algo poderoso, mas precisa ser sincero. É muito fácil cantar junto com todos os demais uma canção que diz "Tudo entregarei". Podemos até nos sentir movidos emocionalmente, mas o verdadeiro teste está na vida diária, quando as coisas nem sempre acontecem da maneira que pensamos que elas aconteceriam. Então precisamos cantar novamente "Tudo entregarei", consagrando nossa vida a Deus mais uma vez.

A consagração e/ou dedicação a Deus é o aspecto mais importante para alcançarmos o sucesso em sermos nós mesmos. Nem sequer sabemos o que deveremos ser, e muito menos sabemos como nos tornarmos o que quer que seja, mas à medida que mantivermos nossa vida constantemente no altar da consagração a Deus, Ele fará a obra que precisa ser feita em nós, para que Ele possa fazer a obra que deseja fazer *através de nós*.

Lembre-se de que todos os tipos de oração são simples, e não precisamos complicá-los. Eles podem ser usados com facilidade sempre que necessário em nossa vida diária. Nunca devemos nos esquecer de fazer o que nos é dito na Palavra de Deus: "Orem em todo tempo (em toda ocasião, em toda estação) no Espírito, com toda [espécie de] oração e súplica. Com este fim, fiquem alerta e vigiem com um forte propósito e perseverança, intercedendo em favor de todos os santos (o povo consagrado de Deus)" (Efésios 6:18).

CURTO E SIMPLES É MAIS PODEROSO DO QUE LONGO E COMPLICADO

E quando orarem, não fiquem sempre repetindo a mesma coisa, como fazem os pagãos. Eles pensam que por muito falarem serão ouvidos. Não sejam iguais a eles, porque o seu Pai sabe do que vocês precisam, antes mesmo de o pedirem.

Mateus 6:7-8, NVI

Creio que Deus me instruiu a orar e a fazer meus pedidos com o menor número de palavras possível. À medida que sigo essa prática, entendo cada vez mais por que Ele me disse para fazer isso. Descobri que se eu puder tornar o meu pedido muito simples em vez de torná-lo confuso inventando palavras demais, minha oração parece mais clara e poderosa.

Precisamos usar a nossa energia liberando a nossa fé, e não repetindo incessantemente frases que só servem para tornar a oração longa e complexa.

Fico impressionada ao ver como nós, seres humanos, somos tão enganados com relação ao verdadeiro valor das coisas. Sempre pensamos que mais é melhor, quando, de fato, nada poderia estar mais longe da verdade. Às vezes, quanto mais temos, menos valorizamos.

Quanto mais coisas temos para cuidar, menos cuidamos adequadamente de qualquer coisa. Na maior parte do tempo, mais só gera confusão.

Às vezes fico perdida sem saber o que quero vestir em determinado dia ou em determinado evento. Tenho amigos pastores na Índia que não passam por esse tipo de confusão. Quando eles abrem seus armários, há apenas um terno dentro deles, então eles simplesmente o vestem e saem.

Certamente não sou contra ser próspero, nem sou contra ter muitas roupas. Roupas são uma das coisas materiais de que realmente gosto nesta vida, e Deus me abençoou com uma abundância delas. Mas estou usando-as como um exemplo para defender o meu ponto de vista.

Se não usarmos de sabedoria e fizermos um esforço consciente para mantermos a simplicidade, toda a nossa abundância só servirá para gerar confusão e infelicidade em vez de paz e alegria.

Na verdade, tive dificuldade para manter minhas orações curtas e simples. Isso não quer dizer que estou defendendo que se ore apenas por um curto período, mas estou sugerindo que cada oração seja simples, direta, direto ao ponto e cheia de fé. Deixe-me dar um exemplo.

Se eu preciso de perdão, posso orar: "Senhor, perdi a calma e sinto muito, peço-Te que me perdoes. Recebo o Teu perdão, e Te agradeço por ele, em nome de Jesus. Amém!"

Ou posso orar: "Oh, Senhor, estou tão arrasada. Sinto-me tão infeliz. Parece que simplesmente não consigo fazer nada direito. Por mais que eu me esforce, estou sempre estragando tudo e cometendo erros. Fiz papel de tonta, e agora simplesmente não sei o que vou fazer. Preciso parar de ficar furiosa. Sinto muito, Pai, por favor, perdoa-me. Oh, Deus, por favor, perdoa-me. Por favor, Senhor, eu prometo que nunca mais vou fazer isso de novo. Oh, Senhor, sinto-me tão culpada. Sinto-me tão mal. Estou tão envergonhada de mim mesma. Não vejo como Tu podes me usar, Deus. Tenho tantos problemas. Bem, Senhor, definitivamente, não estou me sentindo melhor, mas vou tentar acreditar que estou perdoada."

Creio que você concordará que a primeira oração seria muito mais poderosa que a segunda.

Eis outro exemplo, uma oração pedindo a Deus que nos ajude a progredir: "Senhor, estou cansada de esperar para ver progresso em minha vida. Preciso que Tu faças alguma coisa que mude radicalmente minhas circunstâncias ou renoves a unção em minha vida para eu continuar esperando. Confio em Ti, Senhor, tenho fé de que responderás à minha oração, e quero que saibas que seja qual for a Tua resposta, eu Te amo."

Compare essa oração com esta outra: "Senhor, simplesmente sinto que não posso mais esperar para ver uma mudança radical em minha vida. Preciso ver algo acontecer esta semana. Deus, não acho que eu possa mais suportar. Ouço falar sobre o progresso de todos, e sinto que eu nunca faço progresso algum. Já faz muito tempo, Pai, desde que recebi algum tipo de bênção, e estou cansada. Estou esgotada. Estou deprimida. Estou desanimada. Estou decepcionada. Sinto vontade de desistir..."

(É possível que eu parasse neste ponto da oração, chorasse por um longo período de tempo, e então recomeçasse a orar.)

"Deus, espero que Tu estejas me ouvindo, porque eu realmente acho que não posso continuar mais um só dia assim. Não sei o que estou fazendo de errado. O Senhor não me ama mais? Onde estás, Senhor? Não consigo sentir a Tua Presença. Não vejo o Senhor se mover em minha vida. Não sei se estou Te ouvindo ou não. Estou confusa. Sinto-me pior agora do que quando comecei a orar. O que há de errado comigo? Nem sei se sei orar. Oh, Pai, por que o Senhor não me ajuda?"

Você pode pensar em outros exemplos em sua vida, mas espero que esses que citei consigam fazê-lo entender o meu ponto de vista.

Comecei a perceber que o meu problema com a oração era que eu não tinha fé de que a oração seria aprovada se fosse curta, simples e direta. Eu havia caído na mesma armadilha em que muitas pessoas caem — a mentalidade do "quanto maior melhor". Entretanto, depois de orar, frequentemente eu me sentia confusa e insegura, como se eu ainda não tivesse feito o que devia.

Agora, quando sigo a direção de Deus de manter a simplicidade e fazer o meu pedido com a menor quantidade de palavras possível, sinto uma liberação muito maior da minha fé, e sei que Deus me ouviu e me responderá.

Como disse anteriormente, a confiança na oração é vital para o sucesso em qualquer área. Seja realmente sincero consigo mesmo acerca da sua vida de oração e faça ajustes onde quer que eles sejam necessários. Se você não está orando o suficiente, ore mais. Se as suas orações são complicadas, simplifique-as. Se você precisa fazer delas um segredo só entre você e Deus, então pare de falar sobre elas para todas as pessoas que você encontra.

A parte boa de sermos convencidos do erro em nossa vida é que podemos mudar.

QUANTAS VEZES DEVEMOS ORAR PELA MESMA COISA?

Continuem pedindo e lhes será dado; continuem buscando e vocês encontrarão; continuem batendo [com reverência] e [a porta] será aberta para vocês.

Pois todo aquele que continua pedindo recebe; e aquele que continua buscando encontra; e àquele que continua batendo [a porta] será aberta.

Mateus 7:7-8

É difícil estabelecer regras estritas acerca de com que frequência devemos orar sobre um mesmo assunto. Ouvi algumas pessoas dizerem: "Ore repetidamente até ver a mudança acontecer." Ouvi outros dizerem: "Se você orar mais de uma vez por alguma coisa, então é porque você não acredita que recebeu da primeira vez."

Não creio que possamos criar regras estritas, mas penso que existem algumas diretrizes que podem ser aplicadas para nos ajudar a ter ainda mais confiança no poder da nossa oração.

Se meus filhos me dissessem que os sapatos deles estavam gastos e me pedissem para lhes comprar sapatos novos, eu provavelmente responderia: "Tudo bem. Vou comprá-los assim que puder."

O que eu esperaria dos meus filhos é confiança. Eu iria querer que eles confiassem em mim, no fato de que eu faria o que eles me pediram para fazer. Eu não me importaria, e talvez até gostasse, se eles dissessem ocasionalmente: "Puxa, mãe, estou na expectativa de receber aqueles sapatos novos", ou "Estou animado para ver os meus sapatos novos, mãe, vou ficar feliz quando puder usá-los". Essas duas declarações me diriam que eles acreditavam que eu iria fazer o que prometi. Na verdade, eles estariam me lembrando da minha promessa, mas de uma maneira que não questionasse a minha integridade.

Por outro lado, se eles voltassem uma hora depois e fizessem o mesmo pedido de novo, isso poderia me irritar. Se eles dissessem: "Mãe, meus sapatos estão gastos, e estou pedindo para você me comprar sapatos novos", eu pensaria: *Eu ouvi você da primeira vez, e eu lhe disse que os daria assim que possível. Qual é o seu problema?*

Creio que às vezes quando pedimos a mesma coisa a Deus vez após vez, isso é sinal de dúvida e incredulidade, e não de fé e perseverança.

Quando peço alguma coisa ao Senhor em oração, e esse algo me vem à mente ou ao coração novamente mais tarde, falo com Ele sobre aquilo novamente. Mas quando faço isso, privo-me de pedir a Ele a mesma coisa como se eu achasse que Ele não me ouviu da primeira vez.

Quando oro, agradeço ao Senhor porque Ele está trabalhando na situação pela qual orei anteriormente. Mas não volto e refaço a oração pela mesma coisa outra vez.

A oração fiel e persistente gera ainda mais fé e confiança em nós à medida que continuamos a orar. Quanto mais forte for a nossa confiança, melhor para nós.

Portanto, eu incentivo você a fazer coisas que geram confiança, e não coisas que a destroem. Faça coisas que honrem a Deus, e não coisas que o desonrem.

Em Mateus 7, Jesus nos diz para pedirmos e continuarmos pedindo, porque receberemos. Ele também nos diz para batermos e continuarmos batendo, porque então a porta será aberta para nós. Também diz para buscarmos e continuarmos buscando, porque encontraremos.

Como eu disse, creio que essa mensagem diz respeito à perseverança e não à repetição. Devemos continuar perseverando e nunca desistir — se estivermos certos de que estamos buscando algo que é da vontade de Deus. É definitivamente a vontade de Deus que cada um de nós tenha sucesso em sermos nós mesmos e encontremos realização em ser tudo o que Ele nos projetou para ser. Portanto, creio que a oração fiel e perseverante é um fator importante para atingirmos esse objetivo.

SEJA UM CRENTE, E NÃO UM PEDINTE

> *Vamos então nos aproximar destemidamente, confiantemente e ousadamente do trono da graça (o trono do favor imerecido de Deus a nós pecadores), a fim de recebermos misericórdia [para os nossos erros] e encontrarmos graça para socorro em ocasião oportuna para toda necessidade [ajuda apropriada e socorro na hora certa, que chega exatamente quando precisamos dele].*
>
> Hebreus 4:16

Quando você e eu oramos, precisamos nos certificar de nos aproximarmos de Deus como crentes, e não como pedintes. Lembre-se de que, de acordo com Hebreus 4:16, devemos ir com ousadia ao trono: não como pedintes, mas com ousadia; não com agressividade, mas com ousadia.

Certifique-se de manter o equilíbrio. Permaneça respeitoso, mas seja ousado. Aproxime-se de Deus com confiança. Creia que Ele tem prazer nas suas orações e está pronto para atender a qualquer pedido que esteja de acordo com a Sua vontade.

Como crentes, devemos conhecer a Palavra de Deus, que é a Sua vontade; portanto, deveria ser fácil para nós orar de acordo com a vontade de Deus. Não se aproxime de Deus se perguntando se o que você está pedindo é da vontade dele. Defina essa questão no seu coração *antes* de orar.

Há vezes em que realmente não sei qual é a vontade de Deus em determinada situação, e digo isso a Ele quando oro. Nesses casos, simplesmente peço a Ele que a Sua vontade seja feita.

Em qualquer dos casos, devemos orar com ousadia e confiança.

CREIA QUE DEUS OUVE VOCÊ!

E esta é a confiança (a certeza, o privilégio da ousadia) que temos Nele: [estamos certos de que] se pedimos alguma coisa (fizermos qualquer pedido) de acordo com a Sua vontade (em concordância com o Seu próprio plano), Ele nos ouve e escuta.

E se (uma vez que) nós [positivamente] sabemos que Ele nos ouve no que quer que lhe peçamos, também sabemos [com um conhecimento absoluto e definido] que obtemos [concedidos a nós como nossos bens atuais] os pedidos que fizemos a Ele.

1 João 5:14-15

Quando orar, acredite que Deus ouve você!

Em João 11:41-42, imediatamente antes de chamar Lázaro para sair do túmulo, Jesus orou:

... Pai, Eu Te agradeço porque Tu me ouviste. Sim, Eu sei que Tu sempre Me ouves e Me escutas, mas Eu disse isso por causa e em benefício das pessoas que estão presentes, para que elas possam crer que Tu realmente Me enviaste [que Tu fizeste de Mim o Teu Mensageiro].

Que confiança! Para os fariseus, isso deve ter soado como arrogância. A reação deles deve ter sido: "Quem Ele pensa que é?"

Assim como Satanás não queria que Jesus tivesse esse tipo de confiança, ele não quer que nós a tenhamos também. Mas estou encorajando você mais uma vez antes de terminar este livro:

Seja confiante!

Tome a decisão de que você é um crente, e não um pedinte. Vá até o trono em nome de Jesus — o nome dele atrairá a atenção!

Não sou sequer famosa como Jesus, mas as pessoas gostam de usar o meu nome. Meus funcionários gostam de dizer: "Trabalho para Joyce Meyer", meus amigos gostam de dizer "Conheço Joyce Meyer", e meus filhos gostam de dizer "Joyce Meyer é minha mãe". Eles gostam especialmente de fazer isso quando querem obter o favor de alguém, e acham que aqueles de quem estão se aproximando podem lhes ser mais favoráveis se eles mencionarem o meu nome.

Se isso funciona para nós como seres humanos, simplesmente pense no quanto isso deve funcionar bem na esfera celestial — principalmente quando usamos o nome que está acima de todos os outros nomes — o bendito nome de Jesus (Filipenses 2:9-11)!

Vá com ousadia. Vá em nome de Jesus. Vá com confiança, e vá determinado a alcançar o sucesso em ser você mesmo.

CONCLUSÃO

> E que o próprio Deus da paz os santifique em tudo (os separe das coisas profanas, os torne puros e totalmente consagrados a Deus); e que o seu espírito, alma e corpo sejam preservados íntegros e completos (e sejam encontrados), irrepreensíveis na vinda de nosso Senhor Jesus Cristo (o Messias).
>
> **1 TESSALONICENSES 5:23**

Para resumir o ponto mais importante de todo este livro, deixe-me dizer ao encerrar: *você nunca se sentirá realizado na vida se não alcançar o objetivo de ser você mesmo.*

Jesus morreu para que você pudesse ser livre de se comparar com os outros e livre de viver na agonia de tentar copiá-los.

Em seu livro intitulado *Sanctification* (*Santificação*), Charles Finney escreveu:

> ... não é possível atingir a santificação tentando copiar as experiências dos outros. É muito comum os pecadores convictos ou os cristãos que anseiam pela total santificação pedirem, em sua cegueira, que outras pessoas relatem suas experiências, contem minuciosamente os detalhes do que fazem e, depois de ouvir, eles se disponham a orar e se esforçar para agir da mesma manei-

ra, não parecendo entender que eles não podem agir de maneira a ter os mesmos sentimentos que os outros, assim como não podem ter a mesma aparência que os outros.

As experiências humanas diferem, assim como as aparências dos homens diferem. Todo o histórico do estado mental do homem naturalmente modifica a sua experiência presente e futura. Portanto, o conjunto de sentimentos que podem ser necessários no seu caso, e que na verdade ocorrerão se você for santificado, não coincidirão em todos os detalhes com os de qualquer outro ser humano. É de grande importância que você entenda que não pode copiar nenhuma experiência religiosa verdadeira; e que você corre o grande perigo de ser enganado por Satanás sempre que tentar copiar a experiência de outros. Eu lhe imploro, portanto, que você deixe de orar por isso ou de tentar obter a mesma experiência de qualquer pessoa que seja.[1]

Charles Finney viveu e ministrou na década de 1800. Quando ensino a Palavra de Deus quase 150 anos depois, acho encorajador que a mensagem ainda seja a mesma.

A santificação é o estado de perfeita santidade que só é alcançado pouco a pouco por meio da obra do Espírito Santo em nossa vida.

O dicionário *Complete Expository Dictionary of Old and New Testament Words* de Vine afirma que *santificação* é "separação para Deus... a separação do crente das coisas e dos caminhos do mal. Essa santificação é a vontade de Deus para o crente... e o Seu propósito ao chamá-lo por intermédio do Evangelho... ela deve ser aprendida de Deus... como Ele a ensina pela Sua Palavra... e deve ser perseguida pelo crente, ardentemente e sem se desviar... Pois o caráter santo... não é representativo, isto é, não pode ser transferido ou imputado, ele é um bem pessoal, construído pouco a pouco como o resultado da obediência à Palavra de Deus e de seguirmos o exemplo de Cristo... no poder do Espírito Santo".[2]

Não somos santificados seguindo os passos de qualquer outra pessoa, mas somente à medida que seguimos Cristo como nosso exemplo. Parte dessa santificação ou perfeição deve certamente ser o cumprimento do nosso destino individual, pois como podemos ser santificados se estivermos fora da vontade de Deus para a nossa vida, ou se formos intimidados pelo medo, pela dúvida, pela incredulidade ou por rejeitarmos a nós mesmo?

Charles Finney afirma que a santificação não pode ser copiada de outra pessoa. Concordo e também digo que nenhum de nós terá êxito em sermos nós mesmos, nenhum de nós será livre e capaz de desfrutar a vida, copiando qualquer outro indivíduo.

Quando embarquei neste projeto, cuja preparação exigiu várias horas do meu tempo, minha intenção foi ajudar você a ter sucesso em ser você mesmo. Creio que, da melhor forma possível, concluí o meu objetivo.

Que Deus o abençoe ricamente à medida que você avança em direção ao alto chamado de ser tudo o que você pode ser em Cristo Jesus, através dele, por Ele e para Ele.

ORAÇÃO POR UM RELACIONAMENTO PESSOAL COM O SENHOR

Deus quer que você receba o Seu dom gratuito da salvação. Jesus quer salvar você e enchê-lo com o Espírito Santo mais do que qualquer outra coisa. Se você nunca convidou Jesus, o Príncipe da Paz, para ser seu Senhor e Salvador, eu o convido a fazer isso agora. Faça a seguinte oração, e se você realmente for sincero, terá uma nova vida em Cristo.

Pai,
Tu amaste o mundo de tal maneira, que deste o Teu Filho unigênito para morrer pelos nossos pecados para que todo aquele que crê nele não pereça, mas tenha a vida eterna.
A Tua Palavra diz que somos salvos pela graça mediante a fé como um dom que vem de Ti. Não há nada que possamos fazer para merecer a salvação.
Creio e confesso com a minha boca que Jesus Cristo é o Teu Filho, o Salvador do mundo. Creio que Ele morreu na Cruz por mim e levou todos os meus pecados, pagando o preço por eles. Creio em meu coração que Tu ressuscitaste Jesus dentre os mortos.
Eu Te peço que perdoes os meus pecados. Eu confesso Jesus como meu Senhor. De acordo com a Tua Palavra, sou salvo e passarei a eternidade contigo! Obrigado, Pai, estou muito agradecido! Em nome de Jesus, amém.

Ver João 3:16; Efésios 2:8-9; Romanos 10:9-10; 1 Coríntios 15:3-4; 1 João 1:9; 4:14-16; 5:1,12-13.

NOTAS

Introdução
1. Deus restaurará a nossa alma. Davi disse no Salmo 23:1,3: "O SENHOR é o meu pastor... Ele restaura a minha alma...". Vemos na leitura de Lucas 4:18 que Jesus foi enviado para trazer restauração à nossa vida: "O Espírito do Senhor está sobre mim [Jesus], porque me ungiu para pregar o Evangelho aos pobres; Ele me enviou para proclamar a libertação dos aprisionados e a recuperação da vista aos cegos, para restituir a liberdade aos oprimidos."

Capítulo 1
1. *Webster's II New College Dictionary* (Boston/New York: Houghton Mifflin Company, 1995), s.v. "aceitar".
2. Webster's II, s.v. "aceitação".

Capítulo 2
1. Inspirado em uma definição de James Strong, "Hebrew and Chaldee Dictionary" em *Strong's Exhaustive Concordance of the Bible* (Nashville: Abingdon, 1890), p. 58, lançamento n. 3810, s.v. "Lo-debar", 2 Samuel 9:4 — "*destituído de pastagens*".

Capítulo 6
1. *American Dictionary of the English Language,* 10ª ed. (San Francisco: Foundation for American Christian Education, 1998). Fac-símile da edição de 1828 de Noah Webster, permissão para reimpressão por G. & C. Merriam Company, copyright 1967 & 1995 (Renewal) por Rosalie J. Slater, s.v. "possível".
2. Edição de 1828 de Webster, s.v. "possibilidade".
3. *Houston Chronicle:* Knight-Ridder Tribune News, "After 100 years, things are jelling nicely", 4 de março de 1997, p. 1C; David Lyman, Knight-Ridder Tribune News, "Colorful dessert marks first century/100 years of Jell-O", 16 de abril de 1997, p. 1F, reimpresso com

permissão de Knight Ridder/Tribune Information Services; Associated Press, "Family got little dough in gramps' venda da Jell-O em '99", 18 de maio de 1997, p. 2D; conforme reportado em *In Other Words...* (6130 Barrington, Beaumont, Texas 77706), *The Christian Communicator's Research Service* 7, n. 3, "Paciência" (Tulsa: Harrison House, 1995), p. 227.
4. *Vine's Complete Expository Dictionary of Old and New Testament Words* de W.E. Vine (Nashville: Thomas Nelson Inc., 1984), "An Expository Dictionary of New Testament Words", p. 462, s.v. "paciência, paciente, pacientemente" A. Nouns, HUPOMONE.

Capítulo 8
1. Strong, "Greek Dictionary of the New Testament", p. 77, lançamento n. 5485, s.v. "favor" e "graça".
2. Edição de 1838 de Webster, s.v. "misericórdia".

Capítulo 9
1. O parágrafo é de *Enjoying Where You Are on the Way to Where You Are Going* (Tulsa: Harrison House, 1996), p. 40.

Capítulo 10
1. Vine, p. 468, s.v. "perseguir, perseguição", A. Verbs., DIOKO.
2. Um talento era um padrão de medida muito alto. "Um talento parece ter sido uma medida inteira do que era possível um homem carregar (2 Reis 5:23)." Merrill F. Unger, *The New Unger's Bible Dictionary*, Ed. R. K. Harrison, (Chicago: Moody Press, 1988), p. 844, s.v. "talento".

Capítulo 11
1. Strong, "Greek Dictionary", p. 40, lançamento n. 2631, s.v. "condenação", Romanos 8:1.
2. Vine, p. 119, s.v. "condenar, condenação", B. Nouns., krima.
3. Strong, "Greek Dictionary," p. 39, lançamento n. 2607, s.v. "condenar," 3 João 3:20-21.
4. Strong, "Greek Dictionary," p. 40, lançamento n. 2632, s.v. "condenar" Mateus 12:41.

5. Strong, "Greek Dictionary," p. 40, lançamento n. 2613, s.v. "condenar," Lucas 6:37.
6. Strong, "Greek Dictionary," p. 43, lançamento n. 2919, s.v. "condenar," João 3:17.
7. Vine, pp. 229-230, s.v. "medo, medroso, temor" A. Nouns., 1. phobos.

Conclusão

1. Charles Finney, *Sanctification* (Fort Washington, Pennsylvania: Christian Literature Crusade, impressão de 1994, p. 15.
2. Vine, pp. 545-546, s.v. "santificação, santificar" A. Noun., HAGIASMOS.

REFERÊNCIAS

VERSÕES DA BÍBLIA

The Amplified Bible (versão principal utilizada nos textos bíblicos sem indicação de versão) — traduzida livremente em virtude da inexistência dessa versão em língua portuguesa. Quando a versão da AMP correspondia com o texto da Almeida Revista e Atualizada, esse foi o texto utilizado nos versículos fora dos colchetes.

NVI — Nova Versão Internacional, Editora Vida.

A Mensagem — Editora Vida.

ABV — A Bíblia Viva, editora Mundo Cristão.

KJV — King James Version, traduzida livremente da versão em inglês.

REFERÊNCIAS BÍBLICAS

Strong, James. *Strong's Exhaustive Concordance of the Bible.* Nashville: Abingdon Press, 1890.

Unger, Merrill F. *The New Unger's Bible Dictionary*, Ed. R. K. Harrison. Chicago: Moody Press, 1988.

Vine, W.E. *Vine's Complete Expository Dictionary of Old and New Testament Words.* Nashville: Thomas Nelson Inc., 1984.

DICIONÁRIOS

American Dictionary of the English Language, 10ª ed. (San Francisco: Foundation for American Christian Education, 1998). Fac-símile da edição de 1828 de Noah Webster, permissão para reimpressão por G. & C. Merriam Company, copyright 1967 & 1995 (Renewal) por Rosalie J. Slater.

Webster's II New College Dictionary. Boston/New York: Houghton Mifflin Company, 1995.

Joyce Meyer é uma das líderes no ensino prático da Bíblia no mundo. Renomada autora de *best-sellers* pelo *New York Times*, seus livros ajudaram milhões de pessoas a encontrarem esperança e restauração através de Jesus Cristo.

Através dos *Ministérios Joyce Meyer*, ela ensina sobre centenas de assuntos, é autora de mais de 80 livros e realiza aproximadamente quinze conferências por ano. Até hoje, mais de doze milhões de seus livros foram distribuídos mundialmente, e em 2007 mais de três milhões de cópias foram vendidas. Joyce também tem um programa de TV e de rádio, *Desfrutando a Vida Diária®*, o qual é transmitido mundialmente para uma audiência potencial de três bilhões de pessoas. Acesse seus programas a qualquer hora no site www.joycemeyer.com.br

Após ter sofrido abuso sexual quando criança e a dor de um primeiro casamento emocionalmente abusivo, Joyce descobriu a liberdade de viver vitoriosamente aplicando a Palavra de Deus à sua vida, e deseja ajudar outras pessoas a fazerem o mesmo. Desde sua batalha contra um câncer no seio até as lutas da vida diária, Joyce Meyer fala de forma aberta e prática sobre sua experiência, para que outros possam aplicar o que ela aprendeu às suas vidas.

Ao longo dos anos, Deus tem dado a Joyce muitas oportunidades de compartilhar seu testemunho e a mensagem de mudança de vida do Evangelho. De fato, a revista *Time* a selecionou como uma das mais influentes líderes evangélicas dos Estados Unidos. Sua vida é um incrível testemunho do dinâmico e restaurador trabalho de Jesus Cristo. Ela crê e ensina que, independente do passado da pessoa ou dos erros cometidos, Deus tem um lugar para ela, e pode ajudá-la em seus caminhos para desfrutar a vida diária.

Joyce tem um merecido PhD em teologia pela Universidade Life Christian em Tampa, Flórida; um honorário doutorado em divindade pela Universidade Oral Roberts em Tulsa, Oklahoma; e um honorário doutorado em teologia sacra pela Universidade Grand Canyon em Phoenix, Arizona. Joyce e seu marido, Dave, são casados há mais de quarenta anos e são pais de quatro filhos adultos. Dave e Joyce Meyer vivem atualmente em St. Louis, Missouri.